劉福春・李怡 主編

民國文學珍稀文獻集成

第一輯

新詩舊集影印叢編　第42冊

【劉大白卷】

舊夢（上）

上海：商務印書館 1924 年 3 月版

劉大白　著

花木蘭文化出版社

國家圖書館出版品預行編目資料

舊夢(上)／劉大白　著 — 初版 -- 新北市：花木蘭文化出版社，
2016〔民 105〕

244 面：19×26 公分

（民國文學珍稀文獻集成・第一輯・新詩舊集影印叢編　第 42 冊）

ISBN：978-986-404-622-5（套書精裝）

831.8　　　　　　　　　　　　　　　　　　　　105002931

民國文學珍稀文獻集成・第一輯・新詩舊集影印叢編（1-50 冊）
第 42 冊

舊夢（上）

著　　　者　劉大白
主　　　編　劉福春、李怡
企　　　劃　首都師範大學中國詩歌研究中心
　　　　　　北京師範大學民國歷史文化與文學研究中心
　　　　　　（臺灣）政治大學民國歷史文化與文學研究中心
總 編 輯　杜潔祥
副總編輯　楊嘉樂
編　　　輯　許郁翎
出　　　版　花木蘭文化出版社
社　　　長　高小娟
聯絡地址　235 新北市中和區中安街七二號十三樓
　　　　　　電話：02-2923-1455／傳真：02-2923-1452
網　　　址　http://www.huamulan.tw 信箱 hml810518@gmail.com
印　　　刷　普羅文化出版廣告事業
初　　　版　2016 年 4 月
定　　　價　第一輯 1-50 冊（精裝）新台幣 120,000 元　　　　版權所有・請勿翻印

舊夢(上)

劉大白 著

劉大白（1880-1932）原名金慶棪，生於浙江紹興。

商務印書館（上海）一九二四年三月初版。原書四十二開。

文學研究會叢書

舊　夢

劉大白著

上海商務印書館發行

舊　夢

劉大白著

文學研究會叢書

一九二三年十一月初版

舊夢卷頭自題

小兒對鏡團雪,

雪融了,

鏡中的影子也沒了。——

鏡底偶然留了些殘片,

不拘好醜,

一齊流露給人看。

　　　　一九二二,八,一〇,大白,在

　　蕭山。

舊　夢

序

　　大白先生的舊夢將出版了，輪到我做一篇小序。我恐怕不能做一篇合式的序文，現在只以同里的資格來講幾句要說的話。

　　大白先生我不曾會見過，雖然有三四年同住在一個小城裏。但我知道他的家世，知道他的姓名——今昔的姓名，知道他的學業。這些事我固然知之不深，與這詩集又沒有什麼大關係，所以不必絮說，但其中有應當略略注意者，便是他的舊詩文的功夫。民國初年，他在編輯紹興公報，發表許多著作，本地的人大抵都還記得：當時我的投稿裏一篇最得意的古文希臘女詩人（講 Sapho 的

1

舊　夢

文章)，也就登在這個報紙的後身禹域新聞上，過了幾年，大白先生改作新詩，這部舊夢便是結果，雖然他自己說詩裏仍多傳統的氣味，我却覺得並不這樣：據我看來，至少在舊夢這一部分內，他竭力的擺脫舊詩詞的情趣，倘若容我的異說，還似乎擺脫太多，使詩味未免清淡一點，——雖然這或者由於哲理入詩的緣故，現在的新詩人往往喜學做舊體，表示多能，可謂好奇之過，大白先生富有舊詩詞的蘊蓄，却不儘量的利用，也是可惜。我不很喜歡樂府調詞曲調的新詩，但是那些圓熟的字句在新詩正是必要，只須適當的運用就好，因為詩並不專重意義，而白話也終是漢語。

舊夢

我於別的事情都不喜講地方主義，唯獨在藝術上常感到這種區別。大白先生是會稽的平水人，這一件事於我很有一種興味。當初禹域新聞附刊章實齋文集李越縵日記鈔之類，隨後訂為「禹域叢書」，我是愛讀者之一，而且自己也竭力收羅清朝越中文人的著作，這種癖性直到現在還存留着。現在固未必執守鄉曲之見去做批評，但覺得風土的力在文藝上是極重大的，所以終於時常想到，幼時到過平水，詳細的情形已經記不起了，只是那大溪的印象還隱約的留在腦裏。我想起蘭亭鑑湖射的平水木柵那些地方的景色，仿彿覺得朦朧地聚合起來，變成一幅「混合照相」似的，各個人都

舊夢

從那裏可以看出一點形似。我們不必一定在材料上有明顯的鄉土的色彩，只要不鑽入那一派的籬笆裏去，任其自然長發，便會到恰好的地步，成為有個性的著作，不過我們這時代的人，因為對於褊隘的國家主義的反動，大抵養成一種「世界民」(Kosmoholites) 的態度，容易減少鄉土的氣味，這雖是不得已却也是覺得可惜的。我仍然不願取消世界民的態度，但覺得因此更須感到地方民的資格，因為這二者本是相關的，正如我們因是個人，所以是「人類一分子」(Homarars) 一般。我輕蔑那些傳統的愛國的假文學，然而對於鄉土藝術很是愛重：我相信強烈的地方趣味也正是「世界的」文學的一個重大

4

成分。具有多方面的趣味，而不相衝突，合能和諧的全體，這是「世界的」文學的價值，否則是「拔起了的樹木」，不但不能排到大林中去，不久還將枯槁了。我常懷着這種私見去看詩文，知道的因風土以考察著作，不知道的就著作以推想風土，雖然倘若固執成見，過事穿鑿，當然也有弊病，但我覺得有相當的意義。大白先生的鄉土是我所知道的，這是使我對於他的詩集特別感到興趣的一種原因。

我不能說大白先生的詩裏有多大的鄉土趣味，這是我要請他諒的。我希望他能在舊夢更多的寫出他眞的今昔的夢影，更明白的寫出平水的山光，白馬湖的水色，以

舊　夢

及大路的市聲,這固然只是我個人的要求,不能算作什麼的,——而且我們誰又能够做到這個地步呢,我們生在這個好而又壞的時代,得以自由的創作,却反因為傳統的壓力太重,以致有非連著小孩一起便不能把盆水倒掉的情形,所以我們向來的詩只在表示反抗而非建立,因反抗國家主義遂併減少鄉土色彩,因反抗古文遂併少用文言的字句,這都如昨日的夢一般,還明明白白留在我的腦裏,——留在自己的文字上,

以上所說並不是對於大白先生的詩的批評,只是我看了舊夢這一部分而引起的感想罷了。讀者如想看批評,我想最好去看那卷首的一

6

舊夢

篇『自記』，——雖然不免有好些自謙的話：因為我想，著者自己的話總要比別人的更為可信。

　　一九二三，四月八日，周作人在北京。

7

舊夢

序

大白這部詩集，本來早就可以出版了；去年三月間，他容納了朋友們底催促把各詩稿彙集了之後，便由杭州封寄給我。來信說因爲相知較深的緣故，要我代他，將有十分不滿意之處的幾首刪了，又轉託友人怡怡先生畫了封面在上海付印。我於轉託一層便應允了，而且怡怡先生也應允了；對於刪詩的一層，我却不敢從命。後來經他懇切要求，總算勉強應允了他，但反覆看了許久，也只替他刪去了一首。他覺得不滿意，這又從新取去，自己大加刪削，又添了些新作的，結果便成了這一部舊夢。

舊夢

在這舊夢（包含附錄）裏彷彿也有我底夢，也有別的朋友底夢，或者也有大白和我以及其餘友彼此織就的夢。而且說不定，一分還是你我人們共通的夢。一團影，今已歷歷聚在眼前；與大白曾識或不曾會識的朋友，都可親自情鑒賞，這已不消我多所稱述了。我今所要，為不曾會識的朋友們述的，是大白底性情。我嘗說：大白人是外冷內熱的人，詩也是外冷熱的詩。我雖然曾被大白說是多多感的人，而其實他自己，恰正是情多感的人。外冷內熱，多情多，這就是我心中眼中的大白。我眼中的大白，能夠在有憎惡時，便掩飾地表出憎惡，在有憤怒時便

差 多

不掩飾地表出憤怒；在有悲哀，有喜悅，有希望等等時，這也並不誇張地表出這等。我知道他，在心中也曾深想絕滅了憎惡憤怒等情感，在筆上却不曾絲毫掩飾過這一等。而他底不事掩飾寫出來的詩文之間，據我所感得，正如毫不掩飾地做出來的行爲之間，始終有所謂愛的精神貫穿着。他底憎惡，只是對於愛不得處的憎惡，憤怒之類也只是對於愛不得處的憤怒。他從不曾對於他以外的任何整個而憎惡而憤怒。而與這同時，他也似乎並不曾對於任何的整個而喜悅而愛重。因爲他於可喜悅可愛重的是，常希冀更可喜悅的更可愛重的。爲了他，是這樣，所以表面上，便不免對於朋友乃至對於

10

舊　夢

他自己，時常有所謂譴責和檢束，而成了我所謂外冷；然而他底內心，却對於即使曾經陷害他的，也常有愛惜的心情，流露在不知不覺之間，這裏便又成了我這所謂內熱。我底心眼中，於今依然覺得，大白底人，是這樣外冷內熱的人，詩也這樣外冷內熱的詩。

我今更要，爲不曾會識大白的朋友們稱述的，是大白這幾年擺脫因襲的努力。他於藝術生活實生活，都覺得常有因襲的重擔壓着他；他覺得儘力地掙扎，有時還不免被壓住了，動撣不得。所以他最憎恨自己因襲的經歷，嘗把彼比之猛獸，嘗對我嘆息於擺脫不能盡淨。說，「你要向前，因襲却要你朝後。」卽於這詩集，

11

舊　夢

他自己最感着不滿足的,也在這一點。而他底訊咒一切舊有的不良,據我所知道也便是從這一點出發。他在這一點上,有驚人的膽量,兼有驚人的毅力和能力。他曾因不肯炫示舊藏的緣故,至於被人說爲『一知半解』了,他也安然受辱。又曾被人在故鄉排擠得一時窮無去路,而又委婉誘向迷陣,他仍坦然耐苦,趕走他底前途。他這種努力,在我們故鄉間,已經收獲了不少的好結果了。而在這詩集裏,便是他從『舊夢以外』產出了『舊夢』的原動力。

以上兩點是我深信大白是如此,而且以爲或者可以幫助不曾會識他的朋友們,更容易理解他詩文底一貫精神的,所以我就乘這出版的

12

機會在此說出。至於他藝術手腕的
如何,朋友們已可移情鑒賞,更不消
我多所稱述了。

一九二三年,四月十三日,陳
望道在上海。

13

舊夢

題舊夢和舊夢以外

(一)

爲求人諒解的嗎？

　人們還不知道諒解個甚麼。

從胸中飛出、意中造出、手中做出，

　不是人生是甚麼？

(二)

嬰兒，

　愛底結晶，

一代代總超過過去的人；

　爭著把自我底模型範鑄時，

哪里還剩得有嬰兒底生命！

(三)

14

舊　夢

自由鐘，打不響，
　裂了、碎了。
總不如鐵練鑄成的洪亮！

　　　　（四）

人世間只有一滴淚、一滴血：
　淚灌溉和血養活的心苗，
拋棄嗎？——舍不得；
拜倒嗎？——可不必：
　你！
是甚麼來歷！
　一九二三，三，二七，玄廬，衙前。

15

舊夢付印自記

舊夢和薔夢以外——風雲，紅色，一齊付印了。照例，似乎應該有一篇叫做自序的文章；但是這不健全的我，在愁病侵尋中一時不能把思想統整起來，只好說些零零碎碎的話。

劈頭一個問題，就是我這些詩有沒有印行的價值？但是我以為這卻未見得成為問題。因為寫出來和印出來，本來沒有甚麼兩樣。當初既從表現的衝動裏寫出來給人家看了，現在印出來給人家看看，又何妨呢？何況我這些詩，差不多都是曾經在報章、雜誌上印出來給人家看過的；現在不過把零零碎碎、東鱗西爪的，順序地編成集子，印出來給人家歷

16

<u>舊　夢</u>

史地看罷了。至於價值底有無,那是要由讀者估定的;印出來給人家看,正是要求讀者底估定。如果讀者估定起來,不但說是沒價值,甚且不承認這些是詩,都可以。因為我本來只是這樣表現我自己,我自己原也不敢斷定這些一定是詩。

我學做新詩,是從一九一九年夏間開始的,到如今只有三年的歷史。可是從現在回頭看那時候的作品,已經無異青年人重看幼稚時代的塗鴉,雖然現在也並非成熟。這部集子裏雖然把那些幼稚作品刪掉了一小部分,但是大部分依然存著。我並非說存著不刪的都是好的,不過藉此讓讀者觀察我藝術上變化的痕迹罷了。

17

舊夢

我自己知道，我因為沈溺於舊詩詞中差不多有三十年的歷史，所以我底詩統的氣味太重。由舊入新的過渡時代的詩人，本來都免不了這一點；只有周作人先生，可以算是一個例外。可是別人詩裏傳統的氣味，都是漸減漸淡，以至於無的：我卻做不到這樣，差不多循環地複現著，至今不曾消滅，這也許可算得我底詩中最可指摘的一端了。

我又自己知道，我底詩用筆太靈，愛說盡，少合蓄。可是我雖然自己知道，我又不能自己改掉，這確是使我底藝術不能進步的一個大障礙。

朋儕中批評我底詩的頗多；最中肯的，有兩句話：一、以議論入詩；二、以哲理入詩。不過我以為議論文體

18

舊夢

並非絕對不宜於作詩,如果能使議論抒情化,至於詩中禁談哲理,也未必然。因為一個詩人底詩,當然有他底哲學作背景,所必要的,也是哲理底抒情化。所以我只承認我不能使議論和哲理,歸於抒情化,是我藝術拙劣底一端,不承認議論和哲理不可以入詩。

人生是一個謎;詩裏表現的人生,尤其是謎中之謎。我自己還猜不透人生之謎,都把謎中之謎給大家猜,這或許是我底罪過吧!

一九二二,一〇,一六,大白,在杭州。

19

舊 夢

總 目 錄

舊 夢 ·· 2

舊 夢

小 鳥

淚 痕

花 間 的 露 珠

流 螢

看 月

秋 之 淚

落 葉

快 樂 之 船

春 底 復 活

風 雲 ································ 136

風 雲

一

目 錄

盼 月

救 命

可 怕 的 歷 史

雲

陶 汰 來 了

這 沈 吟……爲 甚

雙 瞳

愛——怕

寄 大 悲

燕 子 去 了

月 夜

眞 的 我

舟 行 晚 霽 所 見

對 鏡(一)

對 鏡(二)

一 顆 月(一)

一 顆 月(二)

2

舊　夢

立秋日病裏口占

問西風

促織

愛

心印

丁寧(一)

丁寧(二)

秋深了

病院裏雨後看吳山

一座大山

黃昏

『兩個老鼠擡了一個夢』(一)

『兩個老鼠擡了一個夢』(二)

姻緣——愛

夜坐憶故鄉老梅

一樣的雞叫

看壯丹底唐花

三

追 夢

看盆栽的千葉紅梅

寂寞（一）

寂寞（二）

寂寞（三）

寂寞（四）

讀胡適之先生的醉與愛

送窗

車中人語

捉迷藏

一幅神祕的畫圖

在湖濱公園看人放輕氣泡兒

愁和愛的新領土

春問（一）

春問（二）

春問（三）

春問（四）

一顆露珠兒

四

舊夢

我願

春風吹鬢影

淚泉之井

生命底箭

龜

生和死底話

包車的杭州城

春雪

「送花是表示愛情的」?

祝『戲劇』出世

失戀的東風

一絲絲的相思

夜宿海日樓望月

明日春分了

夢短疑夜長

春意

拔痛牙

5

孤夢

一個伊底話

雨裏過錢塘江

西渡錢塘江遇雨

再造

陷阱

夢

未知的星

錢塘江上的一瞬

愛底根和核

爲甚麼

愛

罷了

露底一生

『一知半解』

羅曼的我

祕密之夜

弔易沙白

6

舊夢

車中的一瞥

月和相思

湧金門外

心裏的相思

題裸體女像

自然的微笑

無端的悲憤

石下的松實

秋意

新秋雜感

秋扇

月兒又清減了

哀樂

鄰居的夫婦

秋夜湖心獨居

爭光

國慶

一

舊夢

將 來 的 人 生

明 知

是 誰 把?

湖 浜 之 夜

地 闊

黃 金 (一)

花 間 ⋯⋯⋯⋯⋯⋯⋯⋯⋯⋯⋯⋯⋯

花 間

不 住 的 住

西 湖 秋 泛 (一)

西 湖 秋 泛 (二)

秋 燕

斜 陽

歸 夢

答 惡 石 先 生 底 讚「秋 之 淚」

洪 水

8

舊　夢

如　此

秋　之　別

債

土　饅　頭

冬　夜　所　給　與　我　的

汽　船　中　的　親　疏

整　片　的　寂　寥

包　車　上　的　奇　蹟

腰　有　一　匕　首

九　年　前　的　今　夜

謝　H　·　T　的　信

紅　樹

月　下　的　相　思

雪

時　代　錯　誤

不　肖　的　一　九　二　三　年

白　天　底　蠟　燭

九

舊　夢

成　虎　不　死

假　裝　頭　白　的　青　山

耶　和　華　底　菲　築

雪　後　晚　望

醉　後

送　斜　陽

花　前　的　一　笑

泰　半

生　命　之　泉

門　前　的　大　路

春　意

疑　懷　之　夢

春　寒

春　雨

得　到……了

故　鄉

『龍　哥　哥，逗　逗　我』

舊　夢

我　底　故　鄉

紅　色⋯⋯⋯⋯⋯⋯⋯⋯⋯⋯⋯⋯⋯418

紅　色　的　新　年

勞　動　節　歌

八　點　鐘　歌

五　一　運　動　歌

金　錢

賣　布　謠(一)

賣　布　謠(二)

收　成　好

田　主　來

每　飯　不　忘

新　禽　言

掛　掛　紅　燈(一)

掛　掛　紅　燈(二)

渴　殺　苦

11

舊 夢

布 穀

割 麥 插 禾

脫 卻 布 袴

駕 犂

各 各 作 工

泥 滑 滑（一）

泥 滑 滑（二）

割 麥 過 荒

著 新 脫 故

舊　夢

舊　夢　目　錄

舊夢之羣一百一首

小鳥之羣四首

淚痕之羣一百四十一首

一

舊　夢

一

舊夢，

似乎常在心頭；

但好的不多，

有幾個值得重溫一下？

二

大地，

不平如此——

眼孔太小吧，

作彈丸看，

有甚麼不平？

三

幾乎錯疑是淨土了，

白雪，

暫時掩蓋了地面的穢惡！

2

舊　夢

四

愛喫果子，

才栽花嗎？

怕蜂兒沒有蜜，

才栽花嗎？——

未必吧！

五

最能教人醉的：

酒吧，

青春吧；

但總不如夜深時琉璃也似的月

六

我是一塊隕石，

一墮地就無光了，

生命在旣墮以前。

七

舊夢

假如煮海不成鹽而成蜜，

蜂兒不是多事嗎？

八

不過如此吧，

垂死的一刹那；

第一次皮下注射，

醫生手裏的針，

將刺未刺間。

九

靈魂底頂上，

繫着輕氣囊；

靈魂底脚下，

墜着重鉛毬；

飛升呢？

墮落呢？

十

心花，

舊夢

不論凡猥之境，
　　聖潔之所，
一樣能放，
因爲有熱血灌漑着。
　十一
盲人底夢裏，
也許不盲；
如果猜得不錯，
我勸盲人不如長住在夢裏吧！
　十二
監獄裏的生活，
枷鎖下的身軀，
漸近於自由，
只有這一條路。
　十三
沒人下種的草，
徧地都是；

一

舊　夢

難道都是荊棘嗎？

也有芳香的。

十四

把我解剖了，

細胞也分析了，

有生命嗎，

科學家底顯微鏡下？

十五

唯一的戀人是誰？——

死之神呵，

終有一天和你接吻。

十六

夜雖然吞沒了太陽，

也還弄些半明不白的月兒，

和零零碎碎的星兒來搪塞；

最可惡的是甚麽？——

風雨。

舊夢

　十七

風啊，

你爲甚麼狂吼？

不平則鳴，

難道只有你？

　十八

未來底偶像呵，

『但爲君故，

沈吟至今！』

　十九

無底無邊的大海裏，

忽然起一個小小的泡；

泡還沒有滅哪，

誰懷疑泡裏的宇宙？

　二十

如果我是嬰兒，

我睡在誰底懷抱裏呢？——

7

舊　夢

父親雖不冷酷，

但也許不及母親底温和吧！

　二十一

夢是夜來的不速之客，

慣在不曾下請來時來。

　二十二

恆河沙數的羣星，

沒來由地妝點這宇宙，

畢竟有甚麼不得巳？

　二十三

時間是奇怪的軌道，

只許開前進的車，

誰也不能向後退。

　二十四

西湖底微波，

是美人底巧笑，

錢塘底狂潮，

舊　夢

是武士底暴怒？——

不，

造化偶然的創作吧！

　　二十五

貪洗海水澡的羣星，

被顛狂的海水幌盪得醉了；

擁着赤裸裸的明月，

突然跳舞起來。

　　二十六

最重的一下，

扣我心鐘的，

是月黑雲低深夜裏，

一聲孤雁。

○　二十七

相思之燈，

用戀愛之火燃着，

相互地照徹心靈深處；

9

舊 夢

但燃料是甚麼呢?——

青春之酒。

二 十 八

當旁人不知道有秘密時,

何曾有秘密?

當旁人知道有秘密時?

何曾還是秘密?——

秘密之花,

沒有不植於公開之園的。

二 十 九

泥中呢?

水面呢?

誰作主呵?——

風是落花底司命。

三 十

僥倖之果,

汁最甘,

10

舊夢

氣最芳，

性却最毒；

戕賊底力量，

包藏於誘惑底香味中，

能教人死而不悟！

○ 三十一

記起來了，

生平最苦悶的，

是兩目俱盲的夢裏；

光明底價值，

直逼得靈魂底深處，

發出一聲狂喊。

○ 三十二

浮雲，

慣用冷眼看人；

變幻無常，

正是他描寫人間的作品。

舊夢

・三十三

過去底不祥，

用改造來祓除；

過去底污痕，

用刷新來洗滌；

過去底缺陷，

用猛進來塡平：

但這都是懺悔之花底果實，

不是怨恨之樹底枝柯。

三十四

有意義的死，

是長養自由的肥料；

不然，

培植不出一蓊自由苗來，

縱使死的千千萬萬。

三十五

人生底慰安，

12

舊　夢

不是當前的現實；

生命之海底航行，

新大陸在未知的彼岸。

三十六

少年是藝術的，

一件一件地創作；

壯年是工程的，

一座一座地建築；

老年是歷史的，

一葉一葉地翻閱。

三十七

文學家，

誰能不帶羅曼氣呢？

羅曼的精神，

是文學底生命。

三十八

水底綠，

13

舊 夢

是借的山光吧?——

但山底綠不是這樣。

霞底紅,

是偷的日色吧?——

但日底紅不是這樣。

三十九

倘然胸中的磊塊,

是空中的雲也似的,

倒也容易消磨。

四十

水面的浪,

是因風而起的;

但浪何嘗不助成風動呢?

四十一

酒醒夢回時,

是甚麼滋味?

何況曉風殘月,

11

舊　夢

撩人心緒？

四十二

最能使人相思的是月夜，

其次雪夜，

其次風雨之夜。

四十三

死如果是有領域的，

彼底國土一定無邊，

永沒有人滿之患。

四十四

夜永遠是秘密的新婦，

罩着重重的面幕；

有時雖然揭去幾重，

但終不全露伊底眞面目。

四十五

空中無數的游星，

伊們忙些甚麼呢？——

15

舊夢

似乎失去生命了，

正在那兒追尋哪！

　　四十六

幸虧雪還是比較地緩和的，

零零碎碎地下；

不然，

不但凍，

人也壓死了，

如果整塊地下來！

。四十七

能永久醉人的，

只有藝術之酒；

但也要看人們底酒量怎樣。

　　四十八

嬰兒底天眞，

和紅日下的白雪一樣，

畢竟要漸消漸滅的；

16

舊　夢

但也許有高山頂上的永住。

四十九

戀愛是相互的藝術底作品，

雪毬似地越滾越大，越塑越俊

戀人不過是一個核心。

五十

影子，

你爲甚麼儘依傍着人，

不愛離人而獨立呢？

五十一

夢如果是靈魂底世界，

愛做黃粱夢的，

連靈魂也墮落了；

幸虧還有一醒！

五十二

明鏡，

舊　夢

伊常常欺騙我，

說裏面的影，

就是外面的形。

五十三

自然底沈默，

使人領會的力量，

比一切言語文字都強。

五十四

催人早起的，

是好鳥宛轉的歌唱；

但也要不樂睡魔纏擾的，

才聽得進去，

怎奈昏迷不醒的人何！

五十五

從不曾瞧見過我底眞面目，

卻從不曾懷疑我底有無；

究竟這個人人都有的我，

18

舊　夢

是幻覺！

是錯覺？

五　十　六

不睡的我，

怕深夜的柝聲，

杵也似地搗我底心坎；

沉睡的我，

盼殘夜的雞聲，

鳳也似地振我底心翼！

五　十　七

任甚麼空際飛行，

　　　海底潛行，

怎及得思想之艇，

不仗着機械的飛潛，

卻非常地快捷！

五　十　八

宇宙是知識底擴張：

舊　夢

宇　宙　越　小，

人　生　越　大，

宇　宙　越　大，

人　生　越　小：

大　宇　宙　裏　的　小　人　生，

總　不　及　小　宇　宙　裏　的　大　人　生　有　意

義。

五　十　九

風　吹　得　滅　的，

只　是　星　星　之　火，

可　奈　燎　原　之　火　何！——

火　到　燎　原，

風　沒　有　不　反　作　火　底　助　手　的　呵！

六　十

文　學　是　有　催　眠　性　的，

文　學　家　支　配　社　會　的　魔　力，

比　宗　教　家　還　大！

20

旧夢

六十一

自己底呼呼聲，

喚不醒自己，

卻能攪擾旁人底清夢。

六十二

當柳絮沾泥，

飛不起來的時候，

柳枝不忍地喚道：

『你們都被污了！』

但是柳絮惱著說：

『你怎地侮辱我們呀？』

六十三

水底本性，

原是很愛和平的：

怎地有時浪起了？——

風不許他和平；

怎地有時潮來了？——

21

舊夢

月不許他和平。

六十四

大理石裏邊，

藏着無數寫生的圖畫，

這是誰底藝術？

六十五

案上幾拳不變的奇石，

何如天空善變的浮雲？

囊中幾粒有限的紅豆，

何如天空無數的繁星？

六十六

小草，

你妝飾了富貴人家底庭園，

卻受够了佢們底羑夷和踩躪！

六十七

人們割了蜂兒底蜜，

不管蜂兒底飢饉，

22

舊　夢

蜂兒怎不罷釀呢？

六十八

我也知道晚霞不及朝霞底清麗；

但這邊的晚霞，

和那邊的朝霞，

不是一片嗎？——

只爭一面看作落日的，

一面看作初日。

六十九

鶯粟底毒性，

自然埋沒不了伊底豔質；

但伊底豔質，

也掩蓋不了伊底毒性。

七十

假如我是火星上的人類，

用着很精的望遠鏡，

窺測地面人類底鏖戰，

23

舊　夢

和用着顯微鏡，

窺測微生物底生存競爭，

有甚麼兩樣？

　　七十一

夢中的世界，

是絕對私有的，

誰也不能相共。

　　七十二

和親戚故舊談不得天了，

彷彿錯回到前生似的，

原來思想也有輪迴。

　　七十三

活動，

是生命力底表現；

但體會生命底存在，

卻在靜中。

　　七十四

舊夢

哪兒有乾淨土呢？——

耶和華眞不中用，

空降了一場洪水，

依然洗不淨地面。

七十五

有些人是瘋的；

有些人是醉的；

有些人是病狂的；

有些人是夢囈的：——

幸而只是有些人，

萬一只有我呢，

不瘋不醉不病狂不夢囈的？

七十六

一夜春雨，

綠了多少田疇；

一夜秋霜，

黃了多少林巒：

25

舊　夢

如此神奇，

怎不教畫師們慚愧！

　七十七

青天白日之下，

認識我心底光明；

轟雷掣電之下，

認識我心底勇猛。

　七十八

北極曉呵，

我讚美你；

你這幾閃紅光，

創造出黑暗裏的光明，

　　地獄中的生命。

　七十九

歸墳墓去吧，

這許多行屍走肉，

為甚占領着活人底世界，

26

舊　夢

妨礙人們底生存?

　八　十

人們慣說:

『種瓜得瓜。

種豆得豆;』

但何以種愛情的,

只得着痛苦呢?

　八十一

一聲聲的春雷,

喚醒多少沉睡的蟄蟲,

卻驚不破羲皇上人底好夢,

　八十二

流水,

沒有住相;

但止水又何曾有住相?

　八十三

地上太腌臢了,

27

舊 夢

為甚麼不移居金星呢?——

一半是捨不得明月。

八十四

全宇宙是藝術之海,

詩人在藝術海中沐浴着,

揮灑出變星泡沫來。

八十五

新月,殘月,

一樣可憐;

但新月是嬌小的可憐,

殘月是憔悴的可憐。——

闇圓前後呢?——

卻未免帶點癡肥的可厭。

八十六

我還該祝我善哭吧,

如果滴滴的淚,

真是顆顆的明珠。

28

舊　夢

八　十　七

大膽的燕子，

偷偷兒來了，

又偷偷兒去，

都不曾得我底許可。

八　十　八

游魚似的詩句，

在心湖裏候着詩人下網：

偶然覓得，

是可喜的捕獲；

偶然忘卻，

是可惜的遁逃。

八　十　九

人底藝術，

還容人獨占，

還容人秘藏；

只容人看不容偷的，

舊 夢

造化偉大的藝術。

九十

戀人底小影，

只有戀者底眼珠，

是最適當的框子。

九十一

與其向夢裏尋詩做，

何如向詩中尋夢做呢？

九十二

生離死別，

雖然是悲劇底好題材，

然而局中人太難堪了！

九十三

我解不得玉連環，

難道玉連環能彀解我？

九十四

海要是沒有波濤，

30

舊　夢

闊罷咧，

怎算得壯呢？

九十五

這是他底迴光倒景哪，

別作落日看吧，

他早下去了。

九十六

睡是止眼睛底渴的；

但眼睛是很饞的，

充飢的是甚麼呢？——

藝術底賞鑑，

風景底流覽，

好書底閱看。

九十七

值得人一讀的，

只是佳文；

值得人一哭的，

舊 夢

才 是 奇 文。

九 十 八

海 爲 甚 麼 有 時 洶 湧 起 來?——

也 許 是 看 雲 底 樣 吧!

九 十 九

黑 暗 擁 抱 着 我 呢,

救 我 吧,

我 禁 不 起 你 底 恩 寵!

一 百

沈 思,

最 好 是 甚 麼 時 候?——

太 陽 睡 去 以 後,

明 月 醒 來 以 前。

一 百 一

能 做 夢 的,

誰 也 是 創 作 者;

可 是 羅 曼 得 很!

一 九 二 三,二,六,在 蕭 山。

舊夢

小鳥

一

小鳥，

你何不一飛沖天？

儘在屋角簷頭，

噪些甚麼呢？

難道羨慕那籠中的飲啄嗎？

二

如果枷鎖鐐銬，

是一種榮典，

一定有些人以此驕人，

也一定有些人唯恐求之不得。

三

保抱扶持，

原是母親底責任。

但負責太過了，

33

舊夢

也許妨礙嬰兒本能底發展!

四

在強烈的太陽光下,

能夠熟睡的:

不是服了麻醉劑,

也是失眠過甚的吧'

一九二二,三,一八,在白馬湖。

34

淚　痕

一

淚痕，

袖頭襟上，

有這許多，

爲甚麼不洗滌呢？——

啊，當初灑這些淚，

原是洗滌從前的斑斑點點的。

二

你給我吹散這些吧，

風啊！

雲霧塵沙，

伊們隔離了我和日月。

三

春風，

也做起夢來了，

35

舊　夢

伊在夢中温存著我呢。

四

飛來了，

誰底歌聲，

鼓著電翼，

盤旋於我底兩耳？

五

兩心相印，

如果兩影相重似的，

人和人就容易互相了解了。

六

我安放在宇宙裏，

宇宙却安放在哪里？

七

洞簫，

你有多少幽怨，

要吹簫人給你代吐？

一

舊　夢

八

我用了極精的顯微鏡，

也瞧不見我底年紀；

我也許是沒有年紀的吧！

九

春夢，

比雲還軟；

可惜在日出以前，

比露先消了！

十

詩人，

你與其鑄成傷心之錐，

何如鑄成照影之鏡？

十一

心頭的血，

眼角的淚，

筆端的墨，

舊夢

揮成一片，

才寫得出滿腔孤憤！

十二

戀愛是絕對不可分的：

於數為一；

於質為電子。

十三

星何曾替得月呢？——

月墮星留，

比星月雙沈，

更難消受！

十四

當春風懺悔的時候，

總扶不起樹底殘紅重上樹頭來！

十五

我勸梨花一杯酒，

你不買燕支，

舊　夢

何妨露醉紅呢?

但是梨花拒絕了!

　十六

難說一江春水只是向束流?

一日十二時中,

我明明見他兩度回頭。

　十七

羞了嗎,

落日?

紅著臉兒,

躱向青山背後去了。

　十八

我住在海市蜃樓中,

誰也不信;

我卻信誰也住在海市蜃樓中。

　十九

等到知道懺悔時,

39

舊 夢

已 經 化 作 蛾 了。

要 知 道 吐 絲 作 繭，

正 是 春 蠶 底 生 意，

二 十

依 然 墮 落 了，

畢 竟 美 人 兒 命 如 紙 薄，

沒 福 分 長 受 春 風 擡 舉!

二 十 一

有 許 多 淚 是 向 外 流 的——

是 快 淚;

有 許 多 淚 是 向 裏 流 的——

是 痛 淚。

快 淚，

人 生 能 得 幾 回 流?

痛 淚，

人 生 禁 得 幾 回 流?

二 十 二

舊　夢

是東風鼓舞著落花？

是落花絢爛了東風？——

沒有東風，

落花太沈靜了；

沒有落花，

東風也太平淡了！

　　二十三

未葉先花的，

是花底爭先呢？

是葉底較嬾？

　　二十四

欺星兒們遠了一點，

常常占領了地面之夜——

月兒也太自大了！

　　二十五

破曉了，

爲甚只聽得雄雞高叫，

舊　夢

雌 的 總 不 作 聲 呢?

二 十 六

要 是 我 底 腸 子,

有 之 江 那 麼 寬,

也 無 妨 一 日 九 迴 了!

二 十 七

生 命 是 一 册 厚 薄 無 定 的 書,

幾 時 翻 到 最 後 的 一 葉,

誰 也 不 知 道 吧!

二 十 八

冬 底 世 界,

不 曾 和 春 訂 出 讓 的 契 約,

春 怎 地 突 然 遷 來 了?——

但 當 冬 占 領 了 秋 底 世 界 時,

又 何 曾 有 甚 麼 契 約 呢?

二 十 九

長 虹,

42

舊　夢

我知道你是整個的圈兒；

為甚麼客嗇得很，

只將一半給人看？

　三十

山林間，

松濤虎虎中，

一杵疏鐘，

陡然飛出，

教人心動？

還是教人心靜？

　三十一

是替人垂淚的？

是引人垂淚的？——

詩人只寫出了自己，

何曾顧到這些？

　三十二

櫻桃花下，

舊　夢

驀　然　記　起，

十　年　前　邂　逅　相　逢，

也　有　這　麼　一　瞬！

　　三　十　三

落　花，飛　絮，

虧　得　是　可　憐　的　生　命，

慣　在　詩　篇，畫　幅　中　留　些　痕　迹！

　　三　十　四

沸　也　似　的　蛙　聲，

單　調　如　此。

何　曾　是　甚　麼　鼓　吹？

　　三　十　五

中　春　之　風　輭　輭，

落　日　之　光　淡　淡。

誰　最　配　消　受　這　風　光？——

燕　翦。

　　三　十　六

44

舊　夢

當　榮　花　披　着　黃　袍，

稱　霸　於　綠　野　時，

豆　花　不　曾　屈　服，

依　然　黑　白　分　明！

　　三　十　七

明　明　鏡　在　花　前，

爲　甚　花　又　在　鏡　裏？

明　明　水　在　月　下，

爲　甚　月　又　在　水　裏？

明　明　人　在　夢　中，

爲　甚　我　又　在　夢　中　人　底　夢　裏？

　　三　十　八

自　從　遠　行　人　能　不　翼　而　飛，

就　使　車　輪　生　了　四　角，

也　不　中　用　了！

　　三　十　九

玫　瑰，

舊　夢

你如果不露色香，

正不必學那荊棘！

四十

一盤螺旋形的香兒：

從近心處下火吧，

灰心太早；

從遠心處下火吧，

心也畢竟灰了：——

教我從哪頭兒點起呢？

四十一

怎禁得如此心焦？——

如其我是一枝蠟燭，

也許不但流淚吧！

四十二

看月長圓，

只是人們沒有這眼福罷了。

既非地影橫遮，

46

舊　夢

月何曾有不圓的時候？

　　四　十　三

誰解放黃金底奴隸呢？——

如果我有點金成石的指頭，

我願收拾起偏地黃金，

一齊還了他頑石底本來面目！

　　四　十　四

我雖然留戀那殘陽旣墮以後的
光，

我尤其歡迎這曙色將動以前的
暗。

這黑暗原不是曙色底先驅，

却正是曙色最後的勁敵。

　　四　十　五

從毀滅朽腐中，

潛伏著新生命，

正是嚴冬底作用。

舊　夢

憑你霜鎖冰封的懷抱，

也禁不起春雷一響！

四十六

窗間的蜂兒，

何嘗不認識光明？——

但要從玻璃上求出路，

未免太不量力吧！

四十七

不能營獨立生活的藤花，

你雖然把可憐的生命，

點綴了你底寄主；

然而你底纏繞也太緊了，

大樹底負擔也太重了！

四十八

不妨的，

無路可走，

走就是了！

48

舊夢

築成的砌成的是路，

踏成的也是路呵！

　　四　十　九

有限的幾顆明星：

其中的一顆，

不幸被流星撞破而毀滅了；

因而其餘的減少了吸力，

改變了軌道了；

只剩了倔強的一顆，

依舊向人們照著。——

咳，人羣底損失啊，

豈但星羣！

　　五　十

被人們豢養的，栽培的，

往往失掉了獨立生活的本能。

人類呵，

你有多麼不祥

49

舊夢

五 十 一

柳 絲 沒 有 雨 絲，

織 不 就 一 幅 春 愁；

就 替 人 惜 別 時，

也 無 淚 可 揮 了！

五 十 二

不 過 是 一 種 不 通 的 假 設 罷 了？

時 間 如 果 是 空 間 底 第 四 度，

我 們 何 以 不 能 作 古 代 旅 行？

五 十 三

地 毬，

你 底 月 兒，

不 肯 夜 夜 給 你 光 明；

你 何 不 土 星 似 地 長 個 光 環，

沒 間 斷 地 照 耀 你 自 己？

五 十 四

果 然 日 局 是 天 河 中 一 粒 芥 子，

· 舊夢 ·

舊　夢

我們倒也不失爲芥子船中的
客。

五　十　五

除非倒搖著活動寫眞片，
無從見因果顚倒的奇蹟。
要夢游過去的黃金時代的，
乘著這電影去吧！

五　十　六

蜂蜂蝶蝶，
只自向花心各取所需，
卻已經盲目地完成了自然底
命。

五　十　七

一縷游絲，
也是生命底一斷片。
花瓣兒呀，
他惹著你時，

51

舊　夢

別把他看作等閒呵！

五十八

哲學嗎？——

望遠鏡上的寫真器罷了；

科學嗎？——

顯微鏡上的寫真器罷了：

身在三元世界中，

誰又能洞見甚麼本體呢？

五十九

在都市的，

沒有接觸自然的機會；

在鄉村的，

沒有賞玩自然的智慧：

如許自然，

只偶然供一二會心人底領略，

也未免太浪費了！

六十

<u>舊　夢</u>

近　山

雖然秀色可餐，

總不如似有若無間的遠山，

更耐人尋味！

六　十　一

夢中流淚，

醒後應該沒有啼痕，

如果夢中是別有眼根的。

六　十　二

一粒微塵中，

也許有微塵數的生命。——

回頭看這微塵似的世界，

我又何嘗不是微塵數裏一微塵！

六　十　三

我相信一切衆生，

皆有佛性；

但安知不是一切佛放現衆生身？

53

舊　夢

六十四

如 今 的 東 風，

也 讓 桃 李 自 由 了；

有 誰 來 屋 角 籬 頭，

恰 好 相 逢 未 嫁 時？

六十五

築 就 了 牢 獄，

把 思 想 監 禁 了，

但 是 他 一 瞬 間 就 越 獄 而 突 飛 了。

掘 好 了 墳 塚，

把 思 想 埋 葬 了，

但 是 他 一 瞬 間 就 破 塚 而 再 生 了。

六十六

在 四 圍 山 色 中，

終 日 和 青 山 對 坐：

我 看 青 山，

不 知 青 山 看 我 也 不 看？

54

舊　夢

我看不厭青山，

不知青山厭我也不厭？

六　十　七

明知太陽快要出來了，

晨光將來接吻於眼簾了？——

『擁著重衾再睡一回吧！』

溫柔的黑暗之魔，

也許還在夢中誘惑人們，

教人們留戀著伊呢！

六　十　八

從瘦牛背上，

看了縷縷的鞭痕，

喫慣了的一日三餐，

已經不容易下咽了。

何況看了農夫額上的汗，

何況看了農夫身上的瘢，

何況看了農夫手脚上的繭？

55

舊夢

六十九

明月是擅長游泳的名家：

不論湖海江河，

不論溝池溪澗，

常常化身萬億，

到處去逢場作戲。

但當伊倦了的時候，

卻隔着紗也似的薄帳，

卻擁着絮也似的雲衾，

朦朦朧朧地睡去了。

七十

就是南北兩極下那麼的長夜，

也還有得到點可憐的光明的

時候；

為甚麼我夢中的夜裏不然呢？

難道日月都在黑海中淹死了嗎？

還是長期地被薄蝕着呢？

舊　夢

七十一

從懺悔之井裏汲取的淚泉，

何曾洗得去罪惡底瘢痕？

但至善之靈苗，

卻從灌溉中滋長了。

七十二

當村裏的犬，

見衣冠濟楚的城裏人而不吠時，

鄉村底混沌，

已經七竅齊鑿而死了。

七十三

趁相思微微地睡去的時候，

把伊絞死了，

深深地埋在九幽之下；

但常春信重來的夜裏，

伊又從紅豆枝頭復活了。

七十四

舊 夢

竹儘管是虛心的，

依然非常地倔強，

而且富於反抗的彈性呢！

七 十 五

從我心裏跳躍而出的是詩，

從我詩裏跳躍而出的是生命，

從我生命裏跳躍而出的是心。

我底詩，

通過了我底心和我底生命。

七 十 六

一樹不曾相識的桃花，

因爲東風底招致，

把我介紹於伊底面前了。

不知東風是邀我看桃花？

還是也讓桃花看我？

七 十 七

不曾出山，

58

舊夢

已經濁了；

不幸的泉水，

你受了在山者底汙嗎？——

『不，

這是入山者面上塵沙，

這是入山者脚跟糞土。』

七十八

蜻蜓，

你用這可憐的薄翼，

支持着你底生命，

不嫌屛弱嗎？——

但是你也許用你底生命，

支持着可憐的薄翼呵！

七十九

由蠶而蛹而蛾，

是肉體底過去現在未來。

三世因果，

舊　夢

也不妨作如是觀！

八十

萬花筒裏，

何嘗沒有相重的花樣？——

但相重的也不過花樣罷了。

八十一

爲甚麼喜心翻倒以後，

還有無數的淚珠呢？——

這都從過去的痛苦辛酸中迸

出的，

是千磨百折的迴潮呵！

八十二

感着電流的，

覺得不可抗；

感着戀愛的，

也覺得不可抗。

電流呵，

舊　夢

戀　愛　呵，

都　是　自　然　最　強　的　驅　使　呵，

究　竟　是　一　呢？是　二？

八　十　三

隔　年　的　燒　痕　還　在　哩，

離　離　的　青　草，

早　從　黃　黑　叢　中　重　長　了。——

春　風　很　得　意　地　吹　着，

似　乎　笑　放　火　人　多　事！

八　十　四

鷓　鷀，

你　捉　了　多　多　少　少　的　魚　兒，

能　有　幾　條　下　咽　呢？

八　十　五

自　從　不　仁　的　地　毯，

吞　咽　了　我　底　慈　愛　的　母　親，

就　沒　人　撫　慰　我　了！

61

舊 夢

咳，天使似的母親底愛，

畢竟超乎一切呵！

八十六

酒如果澆得平磊塊，

世間有酒，

人們胸中的磊塊，

就應該和他不並立了！

八十七

就用精鐵闌干，

也隔不開戀愛；

除非只是第一帝國中人。

八十八

百年以上的老樹。

你閱歷深了，

難怪你愛鬱地沈默着呵！

八十九

明鏡在前，

舊　夢

何嘗能認識自己？——
鏡中的我，
明明是幻覺哪！

　九十

不然吧！
如果我們從字典上塗抹了寫
愛的符號，
而且從聲帶上鎖閉了說明愛
機關，
人世間從此就沒有愛了嗎？

　九十一

有些人畢生不曾流過淚，
似乎是幸福了。——
幸福嗎？
也許是麻木吧！

　九十二

沒有再比這事可咒詛的了，

63

藝術

污損或毀滅他人底藝術品；

因為這無異第二生命底傷殘呵！

九十三

微雲，

誰向遙空抹這一筆呢？

九十四

人在花裏，

花在風裏，

風卻在人心裏。

九十五

失掉了我以外的，

由我去找；

失掉了我，

由誰去找呢？

九十六

面上，

已經不半如此，

64

舊　夢

何況心頭？

九十七

在錐頭上求立足地，

也畢竟有站穩的時候啊。

九十八

鏡子能照見一切，

何以獨漏了自己？

九十九

和誰開戰呢，

撒了如許苞子？——

不過損害了些春底創作罷了！

一百

春來依舊綠了，

空心的樹啊，

你大約不知道有人生憂患吧！

一百一

爲戀愛而流，

舊 夢

為相思而流的淚，

比明珠還貴重！

一百二

這才是好詩哪！

詩人，

你能使人再讀，

你能使人不忍再讀，

你能使人不肯不再讀嗎？

一百三

故鄉，

可戀嗎？

為甚我只覺得伊可厭呢？

一百四

燕子，

如果不為雛燕，

你也未必營這新巢吧！

一百五

舊夢

依稀還在耳呢，

潮聲。

被驚醒的人們，

早重新入夢了，

雖然惺忪的還有幾個。

一百六

花呀，

你謝了，

春風也去了。

還是春風送你，

還是你送春風？

一百七

戀愛底本能，

潛伏在中國人心裏，

還是未開的鑛；

不過發見了些鑛苗罷了！

一百八

舊　夢

填海的精衛呵，

海就算被你填滿了，

大陸不又變成了海嗎？

　　一百九

不嫌狂妄嗎，

芭蕉？

你明明是弱草呵，

也要模仿大樹！

　　一百十

不禁熱的炭呵！

熱透了，

心也灰了！

　　一百十一

怪道西湖也添了一痕春漲了，

這是我昨夜獨揮的淚吧！——

不信呵，

有一彎新月，幾顆疏星作證呢。

68

舊　夢

一百十二

怎算得完全的生命呢，

如果人生沒有戀愛？

一百十三

有如許荊棘蒺藜，

有如許邱陵坑坎，

上帝底創作，

總算很不平凡了！

一百十四

別打結呵，

人們！

誰不知道解結難於打結呢？

一百十五

爲甚麼一模一樣呢？——

原來是一個模型中鑄成的呵，

這些黃金胎裏的產兒！

一百十六

69

舊　夢

算你勇敢吧，

撲火的飛蛾！

你怎地不向太陽猛撲呢？

　　一百十七

虎變了貓，

狼變了犬，

你們眞是虎狼底不肖子孫呵！

　　一百十八

眼中的世界，

本來都是前塵；

戴色眼鏡的，

笑佢做甚？

　　一百十九

繞行地球一周的，

東加西減，

在過去的時間中相差一日。

假如駕着高速度的飛機：

70

舊夢

東行的不難把年齡加倍；

西行的也不難把年齡減盡吧！

　一百二十

相映着的，

江上芙蓉，

天半朱霞。

芙蓉似朱霞呢？

是朱霞似芙蓉？

　一百二十一

淚珠洗面的生活，

是別離中的日課。

　一百二十二

夜雨，

你似乎打算給我洗盡春愁。

但是相思種子，

怎又從雨裏長新苗呢？

　一百二十三

舊　夢

遠遠的犬吠聲，

許是夜半人歸的豫報吧。

誰料只驚破了燈前短夢！

一百二十四

當地球不見月的時候，

也難免這樣孤寂吧，

——獨坐的我似的！

一百二十五

這樣的冰雪，

那樣的風霜，

怎樣禁得起呵，

到處都是冷酷！——

毫不費力地躺下，

躲向溫柔的夢裏去吧！

一百二十六

是恆轉如瀑流呢？

是遞傳如火種呢？

72

舊 夢

生 命 之 謎 呵!

一 百 二 十 七

能 洗 淨 惡 濁 的 世 界,

能 補 完 破 碎 的 人 生 的,

只 有 如 潮 的 熱 血 吧!

一 百 二 十 八

記 得 咋 夜 星 辰,

並非如此。——

哦,

今 兒 有 月 呵!

一 百 二 十 九

我 願 我 底 眼 睛 瞎 了,

保 全 世 界 底 清 淨。

一 百 三 十

花 就 是 重 開 了,

總 不 是 原 來 的 花 呵!

一 百 三 十 一

舊　夢

我　底　夢，

從　微　笑　裏　醒　呢？

從　慟　哭　裏　醒　呢？——

淚　浸　透　了　我　底　夢　了，

還　是　從　慟　哭　裏　醒　吧！

　　一　百　三　十　二

我　在　黑　暗　世　界　裏，

只　有　這　一　盞　孤　燈；

如　果　被　吹　滅　了，

待　怎　樣　呢？

　　一　百　三　十　三

過　去　的　防　禦　線，

只　是　保　護　過　去　的；

未　來　的，

該　重　新　築　起　呵！

　　一　百　三　十　四

淹　得　死　人　的，

74

舊　夢

愛底波瀾，

再險惡沒有的了！
一百三十五

年前嘔出的斗血，

彿還在那兒怨我底決絕；

這是你棄我而去呵！
一百三十六

高一度，

高一度。

愛情的熱度表是甚麼？——

妒。
一百三十七

薩爲衆生病，

爲誰病呢？
一百三十八

底缺陷，

能月也似地重圓嗎？——

75

舊夢

除非生命中靈光底互照。

　　一百三十九

『宇宙是一首大詩』，

　詩卻是人生中的宇宙。

　　一百四十

　戀愛是創造的，

　不是佔據的。

　但是各自創造，

　只能各自賞鑑，

　所以戀人是只能獨有的藝術品。

　　一百四十一

　淚只是悲底發揮；

　憤燄中燒時，

　還有淚嗎？

　燒乾了！

　　一九二二，五，七，在杭州寫畢。

76

舊夢

花間的露珠

一

花間的露珠，

到底徼倖呵!

分了些花粉底芬芳，

聽束風底分付，

滴滴地從詩人底心頭，

滴到詩人底腕底。

二

不幸富貴了，

就不配在山林間生活了;

牡丹呵,

貧賤的姊妹們在笑你呢!

三

西湖,

你勾引了無數游人,

77

舊夢

却給了佢們些甚麼？

四

索性魂銷了，

倒也沒甚麼離情別緒了！

五

蝴蝶，

你如果殉花而死，

我一定用無數落花，

給你堆成墳塚。

六

無情呵，

又載去了多少離人！

遙遙的一聲汽笛，

代送別者哀鳴嗎？——

是你勝利的長嘯吧！

七

爲甚不獨立營巢，

78

舊　夢

儘管向人檐下住呢，

燕子？

八

陷阱裏的人們，

誰掘這陷阱給你們掉呵？——

是你們底祖先，——

也許就是你們自己。

九

沈睡的大地呵！

怎地我們找不出一線光明來呢，

在你底身上？——

從鄰近的行星上看來，

此時你也許是一顆明星呢！

十

當我發願洗淨這醒騃世界時，

我便謳歌洪水了；

當我發願殲滅這墮落人類時，

79

舊 夢

我 便 謳 歌 猛 獸 了。

洪 水, 猛 獸,

果 眞 只 是 可 呪 詛 的 東 西 嗎?

十 一

誰 說 相 思 是 苦 的 呵?——

比 蜜 還 甜 吧,

有 這 許 多 嘗 不 厭 相 思 滋 味 的

們!

十 二

也 許 是 春 錯 了 吧,

明 明 春 盡 了,

薔 薇 還 對 著 我 笑 呢!

一 九 二 二, 五, 七, 在 杭 州。

80

流螢

一

流螢，

一閃一閃的。

雖然只是微光，

也未始不是摸索暗中的一助，

如果在黑夜長途旅客底眼中。

二

看徧人間趣劇了嗎，

青蛙，

如此不絕地狂笑？

三

許是有意的吧，

避人的明月，

招來幾疊浮雲，

把羞顏掩住了！

81

— 119 —

舊夢

四

吼也似的中夜風聲，

寂靜的心湖裏，

也被捲起了許多迸浪！

五

星兒們，

何不走近一點來呢？

聽說你們都是有絕大光明的。

六

如果站在地軸上，

打個迴旋，

也不消自勉了。

七

有無數的山，

在那里表現不平，

也就夠了；

多事的風，

82

舊　夢

偏 教 水 也 和 山 爭 起 不 平 來！

八

吸 人 膏 血 的 蚊 子，

與 其 說 是 無 情 的 刺 客，

不 如 看 作 不 仁 的 富 人。

九

終 有 這 一 天 吧，

不 願 再 浪 費 光 明；

太 陽，

我 想 你 終 有 不 再 照 地 球 的 這 一

吧！

有 這 許 多 不 愛 見 光 明 的 人 們，

有 這 許 多 愛 在 光 明 下 面 沈 睡 的

們！

十

我 在 春 底 懷 裏 睡 慣 了，

春 也 在 我 底 懷 裏 睡 慣 了。

83

舊　夢

夢兒沒來由地裹住了我，

生生地把我和春隔離了。

春呵，

你也許我也似地悲哀吧！

　　一九二二，五，三〇在白馬湖。

看　月

一

人 也 看 月；

山 也 看 月；

水 也 看 月：

一 樣 的 看 月。

一 樣 的 看 月：

人 是 用 眼 看 的；

山 是 不 用 眼 看 的；

水 是 用 全 身 作 眼 看 的。

一 樣 的 看 月：

人 是 自 己 看 月；

山 是 給 人 看 月；

水 是 教 月 自 己 看 月。

舊　夢

人也看月；

山也看月；

水也看月；

月也看月：

一樣的看月。

一九二二,六,二,在白馬湖。

二

人影，

在花裏；

花影，

在月裏；

月影,花影,人影,

都在水裏。

月彷彿是看花的；

花彷彿是看月的；

人卻分明是花月雙看的。——

舊 夢

可是看花的月，

看月的花，

花月雙看的人，

一齊被水看了去了！

畢竟只是看月吧！

水啊！

要是沒有月時，

花也無影了，

人也無影了，

待看些甚麼呢？

　一 九 二 二，六，二 在 白 馬 湖。

三

明明是今夜明月，

偏愛說是舊時明月。

難道今夜月色，

舊 夢

還 是 舊 時 月 色 嗎?

與 其 說 是 舊 時 明 月,
何 如 說 是 明 年 明 月?
難 道 今 夜 月 色,
到 明 年 不 是 舊 時 月 色 嗎?

且 把 今 夜 明 月,
當 作 明 年 明 月 看 吧!
如 果 愛 看 舊 時 月 色,
這 不 是 預 看 了 明 年 的 舊 時 月 色
嗎?

要 看 舊 時 明 月,
是 不 可 能 的;
要 看 明 年 明 月,
是 或 許 可 能 的。

88

舊　夢

人生只有將來，

怎地儘留戀那過去的舊時月色

　　一九二二,六,二 在白馬湖。

　　　四

月兒說：

『我是特地給失眠的人們以慰

安的；

那些貪睡的人們，

是不會領略我的呵！』

果然，

當月兒出來時，

看的人眞是寥寥，

其餘的都沈沈睡去了！

89

舊夢

然而沈沈睡去的人們，

何嘗都是不愛看月的呢？——

被太陽底光和熱，

驅使得倦極了，

哪里還有看月底餘閒和福分

月兒呵！

如果要給沈睡的人們以慰

至少，

得向太陽提出減少驅使權底

議 呵！

然而孱弱的月兒，

除了暫時遮住了太陽以外，

只能從窗間牆隙中，

偶然透進微光，

一照睡人底夢境！

90

舊　夢

一 九 二 二，六，二，在 白 馬 湖。

五

在 月 光 下，

詩 人 底 心 是 透 明 的。

月 光 透 過 了 詩 人 底 心，

更 能 從 詩 人 底 筆 墨 中，

映 到 詩 人 底 詩 裏。

看 不 見 天 上 的 月，

不 妨 看 詩 人 心 裏 的 月；

看 不 見 心 裏 的 月，

不 妨 看 詩 人 詩 裏 的 月。

天 上 的 月，

是 不 能 常 在 的；

詩 人 心 裏 的 月，

91

舊 夢

是 和 詩 人 同 在 的;

詩 人 詩 裏 的 月,

是 不 但 和 詩 人 同 在 的。

但 是 常 人 只 能 用 眼 看 月,

詩 人 却 能 用 心 看 月;

看 詩 人 詩 裏 的 月,

是 要 眼 和 心 並 用 的 呵!

一 九 二 二,六,二,在 白 馬 湖。

六

把 相 思 散 給 人 間,

自 然 是 月 兒 底 長 技 了。

然 而 相 思 種 子,

却 並 非 月 中 的 出 產,

還 是 在 人 心 裏。

92

舊　夢

別的相思種子，

和日光不大相宜的；

禁不起月光底一照。

受月光的，

過於相思種子；

看月光的，

然也無過於心有相思種子的

了！

一九二二,六,三,在白馬湖。

七

歡笑的眼看，

是歡笑的；

悲哀的眼看，

是悲哀的；

狂醉的眼看，

幻 夢

月 是 狂 醉 的;
用 寂 靜 的 眼 看,
月 是 寂 靜 的。

用 小 兒 的 眼 看,
月 是 個 小 兒;
用 女 兒 的 眼 看,
月 是 個 女 兒;
用 戀 人 的 眼 看,
月 是 個 戀 人;
用 詩 人 的 眼 看,
月 是 個 詩 人。

人 們 眼 底 變 幻 吧,
月 何 曾 變 幻 哪?——
不, 月 是 照 徹 人 心 的 明 鏡,
人 心 變 幻 了,

94

<h1>舊 夢</h1>

鏡影哪得不變幻呢？

一九二二，六，三，在白馬湖。

八

管住了月，

讓我獨看，

或是只許我底戀人同看；

我這樣想著。

然而月是不容佔據的，

只能公諸同好。

在地上看，

月好如此；

飛向月中，

不更好嗎？

我這樣想著。

然而月是純粹利他的，

舊夢

只給地上人看。

天空只有孤月，
不嫌單調嗎？
何妨再造一個呢，
如果真有創造者？
我這樣想著。
然而月是不能有二的，
除非指頭按眼時。

月兒那面有光時，
也許更好；
這一面似乎看膩了，
何不給我們看看那面呢？
我這樣想著。
然而月是半守祕密的，
除非移住別行星。

96

舊　夢

一 九 二 二，六，三，在 白 馬 湖。

九

聽 說 夜 之 女 王——月 兒，

本 來 和 太 陽 平 分 晝 夜，

而 且 夜 夜 長 圓 的。

那 時 候 的 人 們，

住 在 晝 夜 通 明 的 世 界 裏，

沒 一 夜 不 看 那 團 團 的 月 兒，

好 不 幸 福 呵！

後 來 月 兒 起 了 野 心 了，

嫌 自 己 底 世 界 太 寂 寞 些，

侵 略 那 太 陽 底 領 域 了。

因 而 自 己 底 世 界，

反 常 常 讓 那 黑 暗 統 治 著；

而 且 受 了 不 能 夜 夜 長 圓 的 罰，

97

舊 夢

使人們減少了許多幸福了。

這傳說如果是眞的，
月兒固然應該懺悔，
人們也應該給伊作贖罪的祈禱
呀！
然而有些人正在說，
『競爭是伊底美德；
缺陷是伊底美容』呢！
　　　一九二二,六,三,在白馬湖,

十

地球是最愛看月，
而且無夜不看月的；
因爲月兒是地球永遠的唯一的
戀人。

98

舊　夢

如果月離開了地球，
地球底生活，
一定非常騷動，
也許生命就此喪失了。

即使並不離開，
而只是不能見月；
地球面前，
也滿堆了重重的黑暗，
飽受那沒光明的痛苦。

然而月兒終不免有背向地球時，
雲咧，霧咧，
又常常支起間隔的屏障，
把黑暗之夜贈給地球。

這些弊還不是自作的；
當自己底影掩住月兒，
謝絕看月的幸福時，
那裏是地毬應該懺悔的呵！
　　一九二二，六，四，在白馬湖。

舊夢

秋 之 淚

一

秋之淚，

冷落的，

到底還是春之淚溫存阿！

二

情話留不住行人，

悲歌留不住行人，

用你底眼淚吧！

三

我爲甚麼生了眼睛，

能見一切怪象，

又能流淚呢？

四

如果以淚當酒，

誰能飲這淚酒而不醉阿！

100

舊　夢

五

吸　淚　成　潮　的，

也　是　月　嗎？——

許　是　相　思　之　月。

六

這　是　淚　洗　過　的　面　呵，

情　人！

和　你　底　吻　相　接　時，

辛　呢？酸　呢？甜　呢？苦　呢？

七

在　淚　泉　底　上　流　設　個　淚　閘　吧！

然　而　淚　神　不　服，

終　於　冒　過　淚　閘　而　泛　溢　了。

八

死　別　的　淚，

淚　也　許　殉　別　而　死；

生　離　的　淚，

101

舊　夢

如果有生一日，
　　　有離一日，
淚也是常生的。
怎說生離勝於死別呢？

九

一條頸練，
用淚珠穿成的，
誰能掛在頸上而不散失，
就贈給誰吧！

十

人們慣說：
　『淚盡，
　　繼之以血。』——
血也盡呢？

十一

有如許的淚，
　就使渾身都是眼，

舊　夢

也　流　不　及　呵！

十　二

果　然　流　淚　成　河，

也　許　能　用　相　思　之　船，

載　得　遠　行　人　歸　來　吧！

十　三

舊　時　的　淚，

殉　舊　時　的　花　而　同　葬　了；

今　日　的　淚，

又　伴　今　日　的　花　而　同　發　了。

然　而　太　淋　漓　了，

不　留　些　給　明　日　嗎？——

呀，明　日　的　花　前，

自　有　明　日　的　淚　呵！

十　四

淚　倘　然　不　是　噴　泉，

爲　甚　不　絕　地　逆　流　而　上　呢？

103

舊　夢

十五

收回你底淚吧，

眼前不見了承淚的盤了！

別說能發不能收，

收回你底淚吧！

十六

痛哭之淚，

能灌溉那歡笑之花。

誰知歡笑之花，

又胚胎著淚種呢？

十七

憑你是怎樣祕密的隱痛，

總瞞不過淚神，

輕輕地給你隨意洩漏了。

十八

給你看吧，

我底心跟著淚出來了！

104

舊　夢

十　九

卽使用微笑掩住了淚，

這一笑裏，

早吐露了淚底秘密了！

二　十

聽說秋海棠是淚化的。

但我不願我底淚化作秋海棠，

我願化作秋露，

徧瀧秋海棠上，

洗去伊底憔悴可憐之色！

二十一

從淚眼裏看月，

月有時成雙了。

月呵！

這是你對於流淚者底驕傲嗎？

二十二

秋光射入我底眼底，

<u>舊　夢</u>

彷彿縋入淚井裏的汲淚之綆。

但是我底淚，

只爲悲秋而流嗎？

二　十　三

銀灰色的淚，

變成玫瑰色了。

這是愛底結晶呵，

何曾是血？

二　十　四

導源於良心的淚，

是從墮落之淵裏探取良心的雙

綆。

然而要是良心霉爛了，

或者已經葬在陰很之魚底腹中

呢？

二　十　五

告訴你：

106

舊夢

我 底 淚 如 果 流 盡 了，

就 是 我 底 心 燈 之 油 燃 盡 了！

二 十 六

夜 來 多 少 孤 眠 淚，

枕 頭 是 知 道 的。

但 知 道 的 也 只 有 枕 頭 哩！

二 十 七

原 來 淚 神 也 愛 旅 行 的，

連 夢 境 也 阻 不 住 他 底 游 蹤。

二 十 八

這 回 壓 倒 江 潮 底 洶 湧 了，

當 我 灑 淚 渡 錢 塘 的 時 候！

二 十 九

吐 淚 不 得，

咽 淚 不 能，

在 眼 輪 中 旋 轉 時，

比 利 錐 刺 眼 還 痛 啊！

107

舊夢

三十

纏綿宛轉的一封書，

如果看時和淚看，

就不孤負那寫時和淚寫了！

三十一

淚底宗教，

是不容易創造的呵！

聽說淚神是淚瀉爲湖，

在自己底淚湖中自沈的。

三十二

便不波的心井也波了，

淚能滴滴滴在人們底心上。

三十三

淚是人身底瀑布吧！

瀑布是起於源頭底不平的；

淚底源頭，

也是不平呵！

108

舊夢

三 十 四

洪 水 不 可 湮，

淚 也 是 不 可 湮 的。

無 聊 的 慰 藉，

不 過 是 湮 洪 水 的 手 段 罷 了！

三 十 五

『涓 涓 不 塞，

　將 成 江 河；』

塞 住 了 我 淚 底 涓 涓，

塞 得 住 人 們 淚 底 涓 涓 嗎？

三 十 六

恩 也 淚，

怨 也 淚，

恩 怨 分 明 都 是 淚。——

忙 煞 兩 行 眼 淚，

滿 腔 恩 怨 一 齊 揮！

三 十 七

舊　夢

秋雨似的淚，

和淚似的秋雨爭流；

秋雨晴了，

淚還沒有晴意。

三十八

寫淚人詩，

詩還是詩；

化詩成淚，

詩便是淚了。——

是淚？

是詩？

——一片！

三十九

這是用淚沁透了的詩呵，

別作詩看，

只作淚看吧，

如其有能下同情之淚的讀詩人！

110

舊夢

四十

我不願讀詩人墮淚，

我底詩也未必能使讀詩人墮淚。

但是我底淚，

卻從我底詩裏，

墮在一切能墮淚人底面前了！

四十一

是有情人，

才識得淚底滋味：

這一把淚，

把詩心瀉給天下有情人；

這幾行詩，

把淚痕寫給後世有情人。

四十二

淚是自然瀉出的，

不是將詩榨出；

詩是自然寫成的，

111

舊　夢

也 並 非 用 淚 堆 成。

四 十 三

淚 痕 自 有 乾 時;

留 在 詩 裏 的 淚 痕,

總 比 較 地 不 容 易 乾 吧!

四 十 四

凡 是 詩,

都 有 淚 痕 的:

沒 有 分 明 的 淚 痕,

也 一 定 有 隱 約 的 淚 痕 作 背 景 呢!

四 十 五

咳,秋 氣 重 了,

淚 痕 多 了,

詩 心 苦 了!

一 九 二 二,八,一 五,在 杭 州 寫 畢。

112

落　葉

一

落葉，

只有西風是你長途的伴侶嗎？

流水何如？

二

人家嫌你暴，

我還嫌你弱呢；

風啊，

你終不能掃淨一切！

三

蟲何曾愛占領秋底世界呢！——

不得已而發聲，

受了秋氣底逼迫吧！

四

如果不被人吹，

113

舊　夢

簫也樂得不作聲的。

空空洞洞的簫，

怎禁得抑抑鬱鬱的人，

嗚嗚咽咽地吹呢？

五

利嘴迎人的秋蚊，

大約看不慣世態炎凉，

給人們痛下一針吧！

六

秋雨是能使人愁悶的。

但解了旱苗底枯渴，

也能得農夫底謳歌呢！

七

怎也說：

　『飢了！飢了？』

蟬是只慣吸風飲露的哪！

難道司秋之神，

<u>舊　夢</u>

尅減了你底風糧露餉嗎？

　　八

這樣纏綿稠疊，

比冷酷的世情厚得多了，

誰說秋雲薄呵！

　　九

合起來吧，

天心一半，

江心一半！

把江心底一半，

補在天心，

月兒不是團圓了嗎？

　　十

假如我是一顆螢火，

能有微光照着自己，

也不怕被風吹滅了！

　　十一

舊夢

似乎遺失了甚麼了；

秋風底重來，

是找尋伊所遺失的吧！

十二

小心呵，

秋後之蝶，

別再作欺負秋花的業了！

浮浪的生涯還有幾時呵？

十三

黃昏站在我底面前，

用黑暗之吻吻我了。

請你恕我！

我不燃起孤燈，

怎麼認識你呢？

十四

我感謝送我過江的滾滾秋濤，

但你却使我冒了幾乎失足的險

116

舊　夢

十　五

狂　暴，

自　然　是　風　雨　底　不　仁。

但　大　塊　底　憤　懣，

教　伊　怎　樣　發　洩　呢？

十　六

得　到　一　星　兒　微　笑　了，

在　我　剛　掀　開　夢　幕　而　出　的　時　候。

但　黑　暗　立　刻　告　訴　我：

『長　夜　之　幕　還　橫　在　你　底　面　前　呢！』

十　七

不　幸　的　秋　蟲　呵，

你　不　過　能　唱　唧　唧　之　歌，

也　被　箍　到　城　市　中　而　商　品　化　了！

十　八

自　從　秋　娘　嫁　給　繾　綣　的　自　然，

117

舊 夢

不是伊親生的兒女，

都難免遭酷虐的摧殘了。

秋娘呵，

你甘作嫉妒的繼母嗎？

十九

『世上該有平的山吧』，

我這麼想着。

秋風說：

『待我來把伊吹平了！』

二十

你也是競技運動底選手吧，

受人豢養的蟋蟀呵！

二十一

葉兒隨意辭枝，

似乎是自由了。

然而畢竟也受秋風底壓迫啊！

二十二

舊　夢

無　過　於　早　晚　霞　光　底　創　作　了，

能　成　最　綺　麗　而　最　變　幻　的　文　章　的！

哪　得　不　低　首　而　折　腰　呢，

單　調　的　長　虹　呵？

　　二　十　三

雨　後　的　雷　峯　塔，

腰　以　上，

被　溼　濛　濛　的　秋　雲　葬　了。

　　二　十　四

高　峯　上　的　石　筍　們，

別　驕　矜　了！

　『你　不　過　是　幾　塊　礁　石　罷　了；

　　難　道　我　們　永　遠　沈　埋　嗎？』

海　底　的　兄　弟　們　這　麼　說　呢！

　　二　十　五

吹　坍　不　得　巨　室　底　樓　莖，

秋　之　颶　風　呵！

119

舊夢

漂沒不得富家底倉廒，
秋之洪水呵！

　二十六

蓮子底心，
何以這樣苦呢？——
許是因為藕底心太玲瓏了。

　二十七

促織，
你只能促人們底織嗎？
絡緯似乎在作工了，
然而絡的緯在哪兒呢？

　二十八

熱不過的，
要算拜金者底心了。
怎奈黃金之神底面，
比秋風還冷酷呵！

　二十九

舊　夢

沒入暮雲深處的飛鳥，

你衝破了宇宙底牢籠了嗎？

三十

無晝無夜地悲歌狂嘯，

這也是秋風底自由。

然而人們禁不起你這音樂底犧

性呢！

三十一

海雖然狂得甚麼似的，

總吞不下青天呵！

三十二

一閃一閃的——

眼也似的星，

只愛看那黑暗的夜色；

121

舊 夢

窺破了夜底秘密不曾呢?

・

三 十 三

小小的不曾成熟的生命，

也跟著秋林落葉掉了!

一 九 二 二，八，二 七，在 蕭 山 寫 畢。

122

舊 夢

快樂之船之羣十九首

春底復活之羣十四首

舊夢

快 樂 之 船

一

一隻快樂之船，

正從痛苦之海底那邊，

對着我駛來。

浮沈在痛苦之海中的我，

望見了桅影，

就大聲呼救；

然而狠心的船主，

竟不理我而駛過去了！

二

倦了的光明，

是以夜為牀而酣睡的。

星啦,月啦,

123

舊　夢

不　過　夢　境　中　的　表　現。

三

心　是　祕　密　底　巢　窟　嗎?

爲　甚　心　中　毫　無　祕　密　底　影　子　呢?

祕　密　說:

『要　是　我　有　影　子,

就　不　成　爲　祕　密　了。』

四

死　呵,

你　也　是　活　着　的　吧!

不　然,

怎　能　漸　漸　向　我　面　前　來　呢?

五

時　人　底　心,

125

舊　夢

是不能把詩關住的，

當詩不耐煩住在詩人心裏的時

候。

六

這麼多的星，

讓我摘下幾顆何妨呢?——

剛伸出手去，

星兒們齊說:

『別動手啊!

你以為你底手比眼還長嗎?』

七

永遠………，

人愛說的是——

『永遠………』。

『永遠』嗎?

126

舊　夢

一瞬也似的人生，　　　．

從哪兒找出個『永遠』來呢？

八

你要求渺小底擴大，

　　　短促底延長嗎？

你要求缺陷底滿足，

　　　疑謎底了解嗎？

然而能給你這些的是誰呢？

九

我要一面鏡子，

——能照出我自己的鏡子。

可是這必要是我自己的啊！

十

都是些靈魂不曾相見的陌生人

127

舊夢

哩,

環繞着我而天天見面,

並且還有稱爲朋友的.

十 一

無限的冷酷,

——四面包圍着我的。

我住在冰牢雪獄中嗎?——

不,壁壘森嚴的黃金之陣哪!

十 二

眼前有了甚麼了,

這樣俯首沈思似地注視?

十 三

我是沒有故鄉的;

到處都是我底故鄉,

舊　夢

到　處　都　是　我　底　異　國。

十　四

與　其　唧　唧　噥　噥　地　讚　美，

何　如　悄　悄　默　默　地　領　略？

明　月　是　不　愛　嘈　雜　的　喲！

十　五

越　是　熱　鬧　場　中，

偏　越　覺　到　可　怕　的　寂　寞，

人　叢　中　孤　立　的　我　呵！

十　六

城　基　底　土，

問　層　層　壓　着　的　城　磚　說：

『你　們　幾　時　崩　倒　呀？』

129

舊　夢

十　七

蜿蜒屈曲的一線，

似乎也有光明，

這也是蜒蚰生命底痕迹哪！

十　八

溫暖是可愛的，

焦灼是可怕的，

情感也似的火呵！

一九二二，一一，二九，在蕭山寫畢

春 底 復 活

一

失了生命的春，

於今復活了，

從昨夜悄悄的東風裏。

二

燦爛的春底生命，

原是常在的；

不過睡也似地蟄伏一回罷了。

三

夏底長養，

秋底肅殺，

冬底枯槁，

131

舊　夢

都在春底夢裏。

四

好夢,惡夢,
一重重地驚破了;
幸運的東風,
微倖作了個春底返魂使。

五

誰說去年的春去了?——
無形的春,
無時不在人底心裏。

六

人心裏的春,
隨時可以復活;
為甚春魂再返,

132

舊夢

定要東風?

七

去年揮淚送春時,

『此去幾時回?』

記得將春問。

八

何曾約下歸期?——

只要人心活着,

青春終有再來時。

九

再來——爲甚?——

丟不下的,

不是花花絮絮,

只是惜春心一片。

133

舊　夢

十

雨　妒　風　欺——不　怕，

蝶　掠　鶯　捎——不　怕；

卻　怕　春　不　再　來　時，

人　心　孤　寂。

十　一

人　心　底　孤　寂　裏，

原　含　着　無　限　春　心；

人　心　底　纏　綿，

春　心　底　纏　綿，

——一　片。

十　二

悔　去　年　放　將　春　去，

被　春　心　抛　得　人　心　遠！

134

舊 夢

十 三

如果不放將春去，
人心也許將春賤。

十 四

如今復活的春，
在生機垂絕的人心中重現了；
春心底纏緜，
人心底纏緜，
依然一片。

一九二三，二，五，在蕭山。

舊夢

風雲

風雲

朗朗的一片青天，

沒有一點兒不明。

雲啊雲，

你偏要罩他一下，

不許他乾淨！

澄澄的一泓綠水，

沒有一點兒不平。

風啊風，

你偏要扇他一下，

不許他安靜！

雲啊雲，

136

舊夢

風啊風，

我不管你是和非，罪和功。

你遮星蓋日，

掀波作浪，

賣弄你底手段，

硬充做英雄。——

呸，我偏瞧不起你這英雄！

　一九一九，六，一〇，在杭州。

盼月

我天天盼月華，

我天天盼月華！

不盼甚麼瓊樓玉宇，

不盼甚麼慁兔靈蟾，

總爲你比日難幽，

　　　　比星卻朗，

光明遠大！

137

舊　夢

挨　過　了　黑　黷　騰　的　月　盡　佟：

到　初　三　才　像　個　鉤　兒　掛；

到　十　三　算　像　個　球　兒　賽；

到　二　十　三　又　像　個　弓　兒　卸。

你　怎　圓　得　這　麼　難，

　　　缺　得　這　麼　快？

眞　美　滿　的　光　明　沒　幾　時，

長　敎　我　心　兒　怕……怕　也！

咳，這　還　怪　我　底　因　循　苟　且，

　　　眞　也　難　怪　你　呵！

要　光　明　怎　靠　人　家，

我　自　家　造　一　盞　長　明　的　燈　兒　來　代

你　吧！

　　　一　九　一　九，六，一　九，在　杭　州。

138

舊夢

救命

一個活跳的人，

掉下在一眼深深的井。

井裏面又黑暗，

　　　　又潮溼，

　　　　又冰冷。

跳是跳不出，

活也活不成，

沒奈何大聲地喊『救命！』

旁人聽了佢『救命』底喊聲，

趕緊地掛下一條長繩，

叫佢雙手牽著繩頭兒上升！

　『喂，朋友！

　　你要活命，

　　你要自己起勁！』

139

舊 夢

呼！呼！！呼！！！抽……

抽 了 一 個 空。

不 知 是 佢 底 手 兒 不 動，

還 是 牽 得 太 鬆？

『喂，朋 友！

你 要 是 不 起 勁 呵……

單 靠 著 我 底 起 勁，

一 點 兒 也 不 中 用！』

一 九 一 九，八，一，在 杭 州。

可 怕 的 歷 史

可 怕 啊，我 那 過 去 三 十 九 年 的 歷
史，

深 深 地 盤 據 在 我 底 腦 子 裏！

我 思 想 要 努 力 地 向 前，

伊 歷 史 是 拚 命 地 在 後 邊 拉 著 你。

　　　　＊　　　　　　＊

140

舊夢

咳,你這阻礙我進步的束西!

我恨不得劈開腦殼,

洗淨了過去殘留的痕迹!

　　一九一九,一〇,三,在 杭 州。

雪

雪!

你下來做甚麼?

你不是說:

　『這世界太黑暗了,

　　我下來給伊明白點』嗎?

哼,憑你裝得很像,

無非是表面的幌子,

　　　暫時的現狀!

等到那眞正的光明一放,

你底惰性發了,

一霎時現了流水底原形,

<u>舊 夢</u>

還不是和沒有下來一樣！

一九一九，一二，二五，在杭州。

淘汰來了

回頭一瞧，淘汰來了！

那是吞滅我的利害東西哪！

不向前跑，怎地避掉！

待向前跑，也許跌倒——

唔，就是跌倒，掙扎起來，還得飛跑！

要是給他追上，

怎禁得他底爪兒一抓，牙兒一咬？

咳，淘汰啊淘汰，

你爲甚麼苦苦地追上來！

你要是追得慢點兒，

我還不妨偸點兒懶。

你如今追得這樣緊，

142

沒 法 兒 只 有 努 力 地 向 前 進。

，都 是 你 苦 苦 地 追 上 來，

得 我 欲 罷 不 能，

要 惹 人 家 稱 奇 道 怪！

汰 說：

『你 別 怪 我！

你 還 得 謝 我 拜 我！

要 不 是 我 苦 苦 地 追 上 來，

你 進 步 怎 地 這 樣 快？——

啊，我 都 要 怪 你 了！

要 都 像 你 這 樣 地 拼 命 向 前 跑，

我 怎 地 得 一 個 飽？

你 瞧！倒 是 那 倒 行 逆 施 迎 上 我

　　來 的 糊 塗 東 西 好！』

九 一 九：一 二，三 ○，在 杭 州。

舊夢

這沈吟……爲甚

桌面平平地鋪著雪白的箋兒

筆尖飽飽地蘸著漆黑的墨兒

待仔細地商量著，

怎地描摹得出我這一顆玲瓏

心兒。

剛提起筆的當兒，

驀地裏一會子沈吟——

呀！這沈吟……爲甚？

爐裏慢慢地焚著旋渦卷的香兒

杯中淺淺地泛著落日般的酒兒

待從容地斟酌著，

怎地溫存得轉我這一顆冷落

心兒。

剛端起杯的當兒，

驀地裏一會子沈吟——

144

舊　夢

呀！這沈吟……為甚？

呀！驀擡頭月在天心，
　　驀低頭花在庭心。
且起去，徘徊月下，
　　　　徙倚花陰，
驀地裏又是一會子沈吟——
呀！這沈吟……為甚？

怎地有圓哪缺哪？
月！你也許沈吟？
怎地有開哪謝哪？
花！你也許沈吟？
就算月也沈吟，
　　　花也沈吟，
這都是月和花底沈吟。
到底我這沈吟……為甚？

145

舊 參

參 得 透 這 沈 吟……爲 甚,

也 許 就 虛 空 粉 碎,

　　大 地 平 沈!

一 九 二 〇,五,二 五,在 杭 州。

雙 瞳

你,雙 瞳 裏 有 我;

我,雙 瞳 裏 有 你。

我 看 我,借 著 你 底 雙 瞳;

你 看 你,也 在 我 底 雙 瞳 裏。

我 和 你 有 這 兩 個 雙 瞳,

還 要 那 明 鏡——怎 地?

一 九 二 〇,五,二 八,在 杭 州。

愛——怕

我 常 常 說:

『人 要 給 人 家 可 愛,

146

舊夢

別給人家可怕！』

但同是一頭貓：

孩子見了他，愛他，

鼠子見了他，怕他：

這是爲的甚麽呀？

一九二〇，五，二八，在杭州。

寄大悲

大悲，

我們一別七年了！

還記得嗎？

還記得七年前嗎？

記得七年前，

你在我底故鄉，

在我故鄉底劇場，

把『西園公子』底身分，

147

噩 夢

代作『南國佳人』底模樣。

記得你常常用清新的藝術，

感動頑舊的社會。

記得你常常從男子底淚裏，

流出女兒底心；

又常常從女兒底相裏，

顯出男子底美。

這些影事，

到而今，

還是歷歷心頭，

　　塵塵眼底；

一回想像，

一回歎欷！

隔了一年，

148

舊　夢

又　得　到　你　底　化　妝　小　影，

到　而　今，

還　是　珍　藏　篋　裏；

一　回　展　看，

一　回　歔　欷！

我　也　不　說　甚　麼『一　日　三　秋』，

也　不　說　甚　麼『相　思　千　里』。

只　覺　得　這　七　年　來，

眼　底　心　頭，

常　常　有　一　個　你。

但　不　知　有　沒　有　一　個　我，

常　常　在　你　底　心　頭　眼　底？

一　九　二　○，五，二　九，在　杭　州。

燕　子　去　了

燕　子，

149

舊 夢

你 去 了!

是 你 去 的 時 候 了!

你 來 的 時 候,

我 沒 有 邀 你;

你 去 的 時 候,

我 也 沒 有 留 你。

來 來 去 去,

原 是 你 底 自 由;

你 又 何 必 呢 呢 嘵 喃 含 含 糊 糊 地

說:

『走 了 走 了!』

一 九 二 〇,五,三 一,在 杭 州。

月 夜

薄 薄 的 一 片 紗 也 似 的 輕 雲,

鬆 鬆 地 籠 著 一 顆 珠 也 似 的 明 月。

伊 怎 地 懶 懶 地 羞 也 似 地 不 出 來,

150

舊　夢

抛撒了伊管領的悄悄地睡也似
的靜夜？

遠遠地隱隱約約嗚嗚咽咽地乙
……五……合……乙……一縷洞簫聲，
一抑一揚一揚一抑地被陰雲壓下了，
吹不破鬱幽杳靄的黃昏。
分付他莫留戀著樓頭欄底，
好煩那拂拂的微風扶起，
反反覆覆地飛上雲端，
捧出那珠也似的明月，
彷彿和伊接吻！

月也不羞了，
夜也醒了，
雲也沒意思了，
簫也不作聲了。
只有那拂拂的微風，
還在那兒鼓舞那水底的雲影，月影。
　　一九二〇，六，一，在杭州。

舊夢

風　雲

（二）

眞的我

從我底頭頂上掀翻了天，
　　　脚底下抽掉了地；
　從我底認識裏抹淨了空間和時
間，
　　　心性中燒光了生和死：
那麼，我在哪里？

『咄！本沒有甚麼天，
　　　沒有甚麼地。
　哪來的空間和時間？
　哪來的生和死？
　更不消說，哪里有一個你？』

152

舊　夢

不，天，地，空，時，生，死，我，

就算都起於無始來一念底癡；

但是要沒有眞的我，

怎說得個『妄由眞起』？

那麼，我在哪里？

　　　　眞的我在哪里？

何必掀翻，抽掉，抹淨，燒光？

就在那天，地，空，時，生，死裏。

　　一九二〇，六，三，在杭州。

舟行晚霽所見

點點滴滴地敲篷雨過了，

自起推篷，

領略那雲水雙清的淺涼初夜：

西邊雲際，

一道晴虹微缺；

東邊水底，

舊　夢

一片流光明滅；

搖曳著一抹淡墨似的浮雲，

吞吐著一丸水精似的明月。

波平也，

一奩冰鏡似地嵌著；

波皺也，

一顆雪球似地愽著；

風徐徐也，

一串聯珠似地攢著；

風緊緊也，

一叢碎金似地閃著。

有的說：

『這是畫工不染麈埃的清景；』

有的說：

『這是詩人不食煙火的靈境；』

有的說：

154

惡夢

『這是哲學家劃分眞妄的玄機，

　　科學家剖析色光的實證：』

是耶非耶？——

無非因緣會合的幻影！

擡眼望天東，

別錯認那雲移，

作伊月動！

伊無量的光明，

正靜靜地朗照虛空，

絕不受那風波底簸弄。

願伊明月印入我心中，

照斷那無始以來的無明業種！

願我心融入伊明月中，

照破那無盡衆生底生死迷夢！

一九二〇，六，三，在紹興曹娥道中。

舊 夢

對 鏡（一）

鏡 外 一 個 我，

鏡 裏 一 個 我；

居 然 兩 個 我，

裏 外 相 對 坐。

鏡 外 算 我 我，

鏡 裏 不 算 喚 他 我；

喚 他 一 聲 『你』，——

大 約 你 也 以 為 可。

人 說 『你 緣 我』，

我 也 覺 得 佢 不 錯；

但 是 我 只 瞧 見 你，

不 能 瞧 見 我。

究 竟 怎 樣 一 個 我，

舊　夢

我　沒　瞧　見　過；

到　底　像　我　不　像　我，

甚　麼　是　證　左？

跳　不　出　鏡　外　的　你，

跳　不　進　鏡　裏　的　我，

隔　著　一　層　鏡，

畢　竟　是　兩　個。

不　要　只　說　你　像　我，

不　妨　就　說　你　是　我。

怎　地　能　教　你　是　我？——

一　拳　打　得　鏡　子　破。

一　九　二　〇，七，二　六，在　杭　州。

對　鏡　（二）

——答　玄　廬　讚　大　白　底　對　鏡——

157

舊　夢

一拳打得鏡子破，

鏡裏我歸鏡外我。

若說破鏡碎紛紛，

這破不是澈底破。

怎樣才叫澈底破？——

鏡也沒來拳也沒，

果然拳沒我也沒，

哪兒來的破的我？

一九二〇，九，二二，在杭州。

讀大白底對鏡(附)　　玄廬

七月三十日底覺悟，載大白一

篇「對鏡」，結句說「一拳打得鏡

子破」哈哈，大白這一拳是不是

眞個打在鏡子上，且不管他；可

是讀者讀到這一句，就像頂門

158

舊夢

受了這一拳似的。我因做了
這首詩還問大白

鏡 中 一 個 我，
鏡 外 一 個 我；
打 破 了 這 鏡，
我 不 見 了 我。——
破 鏡 碎 紛 紛，
生 出 紛 紛 我。

我 把 我 打 破，
一 切 鏡 無 我。
我 把 鏡 打 破，
還 有 破 的 我。
破 的 我 也 破，
不 知 多 少 我。

159

舊　夢

一　顆　月　（一）

天　上　一　顆　月，

水　底　一　顆　月；

同　是　一　顆　月，

眞　假　有　分　別。

天　上　一　顆　月，

水　底　一　顆　月；

本　來　一　顆　月，

怎　說　有　分　別？

天　上　一　顆　月，

水　底　一　顆　月；

明　明　兩　顆　月，

怎　說　沒　分　別？

天　上　一　顆　月，

160

<u>舊 夢</u>

水 底 一 顆 月；

只 是 一 顆 月，

虛 妄 生 分 別。

　　一 九 二 〇，七，二 六，在 杭 州。

一 顆 月 （二，

——答 玄 廬 讀 大 白 底 一 顆 月——

要 沒 天 上 月，

哪 來 水 底 月？

因 果 本 不 二，

何 處 生 差 別？

一 人 千 隻 眼，

只 見 一 顆 月；

千 眼 五 百 人，

那 才 起 差 別。

舊　夢

　水　底　原　幻　影，

　本　來　不　是　月；

　眼　外　也　無　月，

　妄　見　成　差　別。

　　一　九　二　〇，九，二　二，在　杭　州。

　　　讀　大　白　底　一　顆　月(附)　　玄　廬

　天　空　一　顆　月，

　水　空　一　顆　月：

　說　是　兩　顆　月，

　明　明　二　即　一；

　說　是　一　顆　月，

　明　明　一　加　一。

　我　見　天　空　月，

　不　見　水　空　月；

　我　見　水　空　月，

舊 夢

不 見 天 空 月，

若 生 千 隻 眼，

定 有 五 百 月。

立 秋 日 病 裏 口 占

西 風 拂 拂 忽 相 過，

一 縷 新 涼 襲 被 窩。

落 葉 聲 低 偏 到 耳，

立 秋 消 息 病 中 多！

　　一 九 二 〇，八，八，在 杭 州。

問 西 風

西 風，

你 送 了 些 涼 來，

趕 了 些 暑 去，

你 底 事 算 完 了 嗎？

163

舊 夢

　窗 前 這 許 多 落 葉，

　原 都 是 你 作 踐 的。

　作 踐 下 來 也 罷 了，

　怎 還 把 他 洗 洗 沙 沙 切 切 売 売 地

亂 轉 著 玩?

　梁 間 的 一 雙 燕 子，

　已 經 行 色 匆 匆 了。

　留 佢 倆 不 住，

　你 打 算 送 佢 倆 到 甚 麼 地 方?

　你 可 能 領 會 我 底 密 意，

　飛 到 菊 花 底 魂 那 兒，

　告 訴 伊，

　　『早 點 兒 放』?

　牆 陰 石 罅，

164

舊　夢

唧唧……唧唧唧……咽斷涼露的蟲

聲，

雲　端　月　下，

剛啊……剛啊……叫破長空的雁聲：

你　怎　地　都　送　到　我　枕　上　來？

你　去　年　來　的　時　候，

給　捎　了　場　病　來，

一　年　來　累　得　我　好　苦！

如　今　你　又　來　了，

·　不　該　仍　給　捎　了　去　嗎？

一　九　二　〇，八，一　四，在　杭　州。

促　織

一　番　雨　過　一　番　涼，

四　面　蟲　聲　比　雨　狂。

促　織　何　須　狂　促　織，

165

舊夢

　有人袖手看縫裳！

　　　一九二〇，九，一五，在浙江病院。

　　　　愛

　如其你願長住在我底愛裏，

　　我用我滿心的愛底神光，籠罩著

你。

　　吾愛，你只在我底愛裏，你只受我

底籠罩！

　　我心裏的密眼，吞你浴著光波舞

蹈。

　如其你願長住在我底愛裏，

　　我用我滿心的愛底妙樂，供養著

你。

　　吾愛，你只在我底愛裏，你只受我

底供養！

166

舊　夢

我心裏的密耳，聽你和著樂聲歌唱。

如其你長住在我底愛裏，
我用我滿心的愛底鮮花，擁護著

吾愛，你只在我底愛裏，你只受我
擁護！
我心裏的密鼻，聞你含著花香吞

如其你願長住在我底愛裏，
我用我滿心的愛底靈泉滋潤著

吾愛，你只在我底愛裏，你只受我
滋潤！
我心裏的密舌，合你漱著泉珠交

167

舊 夢

如其你願長住在我底愛裏，

我用我滿心的愛底醇酒,醺醉著
你。

吾愛,你只在我底愛裏,你只受我
底醺醉!

我心裏的密身伴你擁著酒雲齊
睡。

如其你願長住在我底愛裏，

我用我滿心的愛底迅電,撕引著
你。

吾愛,你只在我底愛裏,你只受我
底撕引!

我心裏的密意,和你感著電流互
印。

舊　夢

倘 使 你 不 願 呢,

吾 愛,憑 你 蹂 躪 了 我 底 心,我 不 能

碎 了 我 底 愛。——

吾 就 粉 碎 了 我 底 愛,這 粉 碎 了 的,

是 永 遠 和 宇 宙 同 在。

　　一 九 二 〇,一 〇,一,在 杭 州。

心 印

過 來 啊,吾 愛!

你 試 把 你 底 眼,覷 著 我 底 胸!

我 底 心,畫 也 似 地 在 你 底 眼 前 掛,

但 越 是 不 祕 密 的 心 畫,也 許 越 不

你 底 眼 能 見。

過 來 啊,吾 愛!

你 試 把 你 底 耳,貼 著 我 底 胸!

169

舊 夢

我底心，樂也似地在你底耳邊奏著。

但越是不祕密的心樂，也許越不是你底耳能聽。

過來啊，吾愛！

你試把你底鼻，嗅著我底胸！

我底心，香也似地在你底鼻端熏著。

但越是不祕密的心香，也許越不是你底鼻能聞。

過來啊，吾愛！

你試把你底舌，舐著我底胸！

我底心，蜜也似地在你底舌尖抹著。

但越是不祕密的心蜜，也許越不

舊　夢

是你底舌能嘗。

　　過來啊,吾愛!

　　你試把你底身,偎著我底胸!

　　我底心,花也似地在你底身旁開
著。

　　但越是不祕密的心花,也許越不
是你底身能觸。

　　告訴你,吾愛!

　　這不是你不能,這是你五根底不
靈。

　　你別用你底眼,耳,鼻,舌,身呀!

　　你只用你底心!

　　告訴你,吾愛!

　　只有心和心,才能交羅地互印。

　　　　一九二〇,一〇,二,在杭州。

舊 夢

丁 甯 (一)

一 聲 去 也，

又 是 一 番 鄭 重 丁 寧。

你 那 樣 的 鄭 重 丁 寧，

要 不 是 我 底 心，有 誰 能 聽?

我 靜 靜 地 傲 著 我 底 心，

翁 受 你 那 一 聲 聲 的 鄭 重 丁 寧。

我 心 裏 同 時 起 了 一 聲 聲 的 回 聲，

和 你 那 鄭 重 丁 寧，一 聲 聲 地 相 應。

我 知 道 你 也 正 靜 靜 地 傲 著 你 底

心，

翁 受 我 這 一 聲 聲 的 鄭 重 丁 寧 底

回 聲，

你 心 裏 也 一 定 同 時 起 了 一 聲 聲

172

舊　夢

的　回　聲　底　回　聲，

　　和　我　這　鄭　重　丁　寧　底　回　聲　一　聲　聲
地　互　證

　　誰　底　丁　寧？誰　底　回　聲？

　　幾　番　往　復，紛　紛　紜　紜　地　交　互　得　不
分　明。

　　分　明，就　只　一　個　丁　寧，起　了　無　數　的
回　聲；

　　這　無　數　的　回　聲，就　只　兩　個　鏡　也　似
的　心　靈　裏　的　重　重　影。

　　從　這　重　重　影　裏，

　　證　明　那　兩　個　心　靈，就　只　一　個　心　靈。

　　所　以　你　那　樣　的　鄭　重　丁　寧，我　這　樣
的　鄭　重　丁　寧　底　回　聲，

　　除　是　我　和　你　底　心，沒　誰　能　聽！

173

附 識

一九二〇,一〇,一一,在杭州。

丁寧(二)

聽!聽!!

丁寧!鄭重丁寧!!

這是你心裏的音樂,

琤琤瑽瑽的無絃的琴聲。

聽!聽!!

丁寧!鄭重丁寧!!

這是你心裏的飛瀑,

琤琤瑽瑽的不滴的泉聲。

聽!聽!!

丁寧!鄭重丁寧!!

誰指著花,誰指著月,

作你那鄭重丁寧底憑證?

174

舊夢

聽！聽！！

丁寧！鄭重丁寧！

就拈著花，就指著月，

也作不了你那鄭重丁寧底憑證。

一丁寧就無從證明，

越丁寧越無從證明。

分明，各有各底密證，

你也無庸鄭重丁寧，我也無庸聽！

一九二○，一○，一二，在杭州。

舊　夢

風　雲

（三）

秋深了

秋漸漸地深了！

我底病也漸漸地和秋同深了！

我很有不耐煩病的心，

病難道沒有不耐煩我的心嗎？

忙作成我底病；

病作成我底閒；

閒作成我底懶；

懶作成我底靜。

靜是病底結果；

靜又是病底轉機。

只有一個靜，

舊　夢

萬　病　都　能　醫。

怎　地　才　是　靜　呢?——
磨　墨　也　似　地　漸　漸　地　把　病　消　磨　了。
我　不　要　不　耐　煩　病,
病　自　然　會　不　耐　煩　我　了。

病　不　耐　煩　我　了!
秋　也　不　耐　煩　這　個　節　序　了!
秋　漸　漸　地　去　了!
我　底　病　也　漸　漸　地　和　秋　同　去　了!
一　九　二　〇,一　〇,一　三,在　杭　州。

病院裏雨後看吳山

一　潮　潮　的　秋　雨,
洗　卻　一　些　些　的　殘　暑。
最　容　易　覺　到　被　薄　衣　單,

177

舊　夢

　　這病怯怯的身軀,恰作了涼重秋
深的憑據。

　　掛起疏簾,靠著輾枕,坐看吳山第
一峰頭:
　　正一疊疊的淫雲,擁著一叉叉的
禿樹;
　　更一陣陣的西風,捲起一片片的
落葉,
　　伴著一閃閃的歸鴉,一齊飛舞。

　　這些景物,
　　為甚地把秋容刻意描摹?
　　那憔悴的秋容,彷彿是天底病容;
　　教我這病人看了,怎禁得住!

　　待不看吧,——

舊　夢

卻又強撩病眼，沒來由地不許。

由他不許，——

把他寫入詩中，作那驅遣病魔，慰藉病懷的清供，

卻也不由他作主。

一九二〇，一〇，三〇，在杭州浙江病院。

一座大山

人們，

別妄想了！

你們對於當前的一座大山，

想明瞭彼底真相？

左把影兒攝；

右把畫兒描；

東邊隔著管兒覷；

西邊戴著色眼鏡兒瞧。

179

舊　夢

你　說　你　底　眞；

我　說　我　底　準。

眞　然，準　然　也　不　過　是　零　零　碎　碎　的

斷　片，

何　曾　認　識　彼　底　囫　圇！

你　們　對　於　當　前　的　**一　座　大　山，**

想　明　瞭　彼　底　眞　相？

人　們，

別　妄　想　了！

一　九　二　○，一　一，五，在　杭　州。

黃　昏

青　山　一　髮，

斜　陽　一　抹，

算　値　得　憑　欄　一　瞬。

舊夢

這有限的斜陽，

一寸一寸地向西褪，

一寸一寸地和黃昏近。

斜陽，

你讓黃昏來占領了這世界；

我卻又來占領了這黃昏。

這秘密的黃昏，

一霎時吞了斜陽，

又一霎時吐了明月；

伊雖沒光明，

卻彷彿懷著光明底姓。

明月還沒吐，

斜陽已經吞了；

就這一霎時秘密的黃昏，

卻也值得無人獨自，一晌溫存。

181

舊 夢

一九二〇,一一,二二,在 杭 州。

『兩個老鼠擡了一個夢』(註)

(一)

孩 子 說:

『母 親,我 昨 兒 晚 上 做 了 一 個 夢;
現 在 卻 有 點 記 不 起 來 迷 迷 濛
濛 了。』

母 親 笑 著 說:

『兩 個 老 鼠 擡 了 一 個 夢?』

老 鼠 怎 麼 能 擡 夢?
夢 怎 麼 擡 法?
老 鼠 擡 了 夢 去 做 甚 麼?
這 不 是 夢 中 說 夢 的 夢 話?

不 是 夢 話 哪,——

182

舊　夢

伊怎地記不起夢來，

那夢上哪兒去了，

要不是老鼠把夢撞?

那老鼠剛撞了夢跑，

驀地裏來了一頭貓；

那老鼠嚇了一跳，

這夢就跌得粉碎地沒處找。

哦，我知道了!

我們做過的夢，都上哪兒去了!

原來都被貓兒嚇跑了撞夫，

跌碎得沒找處了!

(註)兩個老鼠撞了一個夢，是紹
興諺語　小孩子說夢的時候，母
親常常這樣說。

舊 夢

一九二〇，一一，二九，在杭州。

『兩個老鼠擡了一個夢』

（二）

『兩個老鼠擡了一個夢。』

告訴你們：

　『我這夢兒很鄭重，＼

　　好好地擡著，往伊那兒送！』

伊也正在找夢哪，

瞧啊！伊那入夢的機關在動。

伊底夢絲，電也似地恰好和送過

去的夢絲一碰，

我和伊就兩夢相通。

我在伊底夢中；

伊也在我底夢中：

我底夢就是伊底夢。

我們倆在夢裏相逢，

舊　夢

虧　煞　這　兩　個　攪　夢　的　勞　工！

謝　謝　這　兩　個　攪　夢　的　勞　工：

『謝　謝　你　們　把　夢　兒　攪　得　穩，接　得　攏！

願　你　們　常　常　地　給　我　們　攪　了　夢

來――朦　朧！

別　給　我　們　攪　了　夢　去――惺　鬆！』

一　九　二　〇，一　一，二　九，在　杭　州。

姻　緣――愛

『父母之命，媒妁之言』的舊式
婚姻，當然沒有視賀謳歌的價
值。　但是社會底制度，不能立
改；歷史底成案，不能盡翻；人情
底應酬，不能躲躲：這也是現社
會給我們的苦痛底一種。　我
底朋友某君，因為應酬的緣故，

惡夢

要我代做賀新婚新詩。我再
三構思，覺得實在無話可說。
不得已，只有祝佢們從東方式
的「姻緣」，到西方式的「愛」吧！

一個老頭子，

一手檢著簿，

一手牽著繩，

這是東方式的月下老人。

一個小娃子，

一手張著弓，

一手搭著箭，

這是西方式的愛神。

只是老頭子底繩，

繫住了你們倆底足，

算是姻緣注定了；

186

舊　夢

要　待　小　娃　子　底　箭，

射　中　了　你　們　倆　底　心，

才　發　生　那　愛　情　底　感　應。

今　兒　以　前，

不　過　服　從　了　老　頭　子　管　領　的　權　威；

今　兒　以　後，

好　打　算　領　略　那　小　娃　子　作　成　的　滋

味。

小　娃　子　說：

『姻　緣——愛，

　今　兒　辦　個　交　代。

　老　頭　子，多　謝　你　給　我　造　成　了　注

　射　愛　情　的　機　會，

　好　請　你「功　成　者　退」』！

拉　來　老　頭　子　手　上　的　繩，

舊夢 ·

借繃了小娃子手上的弓；

願你們倆齊敞著懷，

歡迎那小娃子一箭當胸的命

中！

一九二〇，一二，一七，在杭州。

夜坐憶故鄉老梅

寂寂的冬夜，

微溫的天氣，

偶然獨坐無眠、

似有若無的一縷幽香撲鼻。

哦，彷彿梅花開了，

教我驀然記起。

驀然記起，

故鄉矮屋簷前，

老梅一樹，

1̄8̄8̄

舊　夢

許正是開花時節。

二十年前：

我愛伊恰恰地和我同高，

曾幾度隔著紙窗，

把伊描寫；

更幾回呵凍揮毫，

　　　挑燈展卷，

總廝伊伴著我同度這獨坐無眠

的冬夜。

而今一別十年，——

這十年中，

也常常從百里千里萬里外，

探伊消息。

聽說伊比從前高了；

但舊時描寫的勁幹槎枒，

還覺得宛然眼底。

舊夢

呀，今夜這一縷幽香，

也許伊正在開花，

驀然記起這五百里外一別十年

的故人，

和我互通呼吸！

　　　一九二一，一一，一九，在上海。

一樣的雞叫

鄉村的雞叫，

催人們起早；

城市的雞叫，

催人們睡覺：

一樣的雞叫，

兩樣的功效。

作樂的人們，

要雞叫得越遲越妙；

190

舊夢

操勞的人們，
要雞叫得越早越妙：
一樣的雞叫，
兩樣的計較。

還有些精神衰弱的人們，
不論在城市，在鄉村，
作樂，操勞，
都沒佢底分。
只暮暮朝朝，
自尋煩惱：
晚上也睡不著覺；
早上也起不來早：
雞叫底遲遲早早，
甚麼都講不到。
但覺得一樣的雞叫，
在佢們卻彷彿接到了『生命又縮

191

舊夢

短一節了』底警告。

雞兒高高地叫道：

『高高地叫，高高地叫，

我叫慣了，只管高高地叫。

甚麼功效，

甚麼計較，

甚麼警告，

各管各底感覺啊，

我一概管不了！』

一九二一，一，二一，在上海。

看牡丹底唐花

如此風勁霜嚴，

分明不是你開花的節序。

就不甘遲暮，——

也何妨忍到春滿人閒，

舊夢

讓萬紫千紅，

一齊擁護？

爲甚地不管葉禿枝枯，

要先期苞舒蕊吐？

太難堪了，——

算贏得那看花人一聲『何苦！』

牡丹說：

『我明知不合時宜；

就那些蠟梅，水仙，

我也羞與伊們爲伍。

都是那無賴的園丁，

一味地朝烘夕焙，

教我再禁不住。

慚愧也我這花王，

到此也不由自主！』

舊 夢

咳，險 啊；

你 看 這 沒 主 意 的 花 王，

竟 捨 得 身 居 爐 火 上；——

就 作 成 一 瞬 的 繁 華，

也 難 免 一 念 的 熱 中，

一 生 的 貽 誤！

一 九 二 一，一，二 五，作 上 海

看 盆 栽 的 千 葉 紅 梅

幾 道 金 屬 的 細 絲，

牽 絆 著 一 樹 千 葉 的 紅 梅；

強 將 伊 整 齊 屈 曲，

消 滅 了 零 亂 參 差 底 美。

倘 教 伊 長 住 空 山，

孤 芳 自 賞，

也 何 份 不 十 分 名 貴！

194

舊 夢

蕭 疏 是 伊 底 天 然，

倔 強 是 伊 底 個 性；

爲 甚 地 惡 作 劇 的 園 丁，

定 要 顯 佢 那 摧 殘 個 性，戕 賊 天 然

的 本 領？

如 今，就 繡 幕 遮 攔，

　　　　銀 盆 供 養，

也 只 增 伊 底 不 幸！

　一 九 二 一，一，二 五，在 上 海。

寂 寞（一）

向 空 山 獨 自 登 臨，

上 絕 頂 峯 頭 小 坐；

四 顧 無 人，

是 入 山 的 寂 寞。

乘 長 風，破 萬 里 浪，

195

舊 夢

任一葉孤舟掀播；
四顧無人，
是浮海的寂寞，

排空御氣，天際孤飛，
只腳底烟雲過；
四顧無人、
是航空的寂寞。

這些寂寞，
都因爲四顧無人，
只剩了我一個；
但萬人如海的市廛中，
又何曾有人，
肯伴著這無聊我？
　　一九二一，一，二七，在上海，

196

舊夢

寂寞（二）

人羣外的寂寞，

就得不到人底慰藉，

也許得到了人以外的慰藉。

你看那圍繞著我的自然，

是怎樣的親熱！

人羣中的寂寞，

儘管萬人如海，

又誰是我底慰藉者？

別說沒人慰藉，——

就有人慰藉，

又何曾把我這寂寞底根源了解？

這些無聊的慰藉，

不但和我底寂寞一些無涉；

也許雪上加霜似的，

舊 夢

越慰藉越教人不慊!

要消除寂寞,

要得到眞的慰藉;

到不如跳出人羣,

和自然密接。

你看這燈火千家,

　　　笙歌十里,

怎及得那江上清風,

　　　山閒明月?

一九二一,一,二八,在上海。

寂寞 (三)

有人說:

『人之相知,貴相知心。』

有人說:

『人生難得知己。』

198

舊　夢

有 人 說：

　『人 固 不 易 知，

　　知 人 正 自 不 易。』

咳！要 沒『他 心 通』，

要 相 知 從 何 知 起？

旣 不 是 超 人，

人 和 人 決 沒 有 相 知 底 理。

也 許 同 聲 相 應，

　　　同 氣 相 求，

多 少 有 幾 分 默 契；

但 心 源 深 處，

就 相 知 也 不 能 澈 底。

人 和 人 是 相 對 的 神 祕；

心 和 心 彷 彿 是 不 能 相 重 的 主 體。

199

舊 夢

慰藉也，無非隔膜，

又何怪人羣中寂寞無比？

　一九二一，一，二九，在上海。

寂寞 (四)

無始終的長宙裏，

佔了極短的一節；

『前不見古人，

　後不見來者！』

無邊際的大宇裏，

佔了極微的一點；

『不如意事常八九，

　可與人言無二三！』

時間上沒有交通的軌道，

生生地把往古來今隔絕；

剩幾個並世的寥寥朋舊，

200

舊夢

又難免生離死別！

也並非自詡孤高，
但覺得這微塵似的浮生，
在宇宙間羈棲飄泊；
只獨自俯仰沈吟，
　　　縱橫歷覽，
哪得不敎人寂寞！

　　一九二一，一.三〇，在上海。

舊夢

風　雲

（四）

讀胡適之先生底醉與愛

玄盧說胡適之先生底詩裏
『醉過方知酒濃，愛過方知情
重』底『過』字，依他底經驗，應該
是『豈』字方合。　那時候我就
說，照適之先底詩意，非用『過』
字不可的。　所以不合的不
是『過』字，却是『濃』字『重』字。
但『濃』字要是作『濃度』解，『重』
字要是作『重量』解，也沒有甚
麼不合。　譬如說『醉過方知
酒底淡和濃，愛過方知情底
輕和重』，就和『醉過方知酒
力，愛過方知情味』差不多了。

202

舊夢

現在讀了適之先生底『醉與
愛』裏面『愛情原來是這麼樣
的』一句,可知也那『重』字,彷彿
是『重量』底意義了。 但我對
於適之先生這首詩底態度,
語意還不免有點懷疑;所以
也戲作此詩,博適之先生底
一笑。

醉了未必就睡,
各人底醉境不同。
要是醉了就睡,
醒來模模糊糊地憑甚麼測定那
淡和濃?

果然情重,
終身長在愛裏。

203

舊 夢

要是一會子就過了的愛，

情底重量，又怎值得估計？

一個自說他底經驗；

一個偏說他底經驗不是如此。

你不曾經驗他底經驗，

正如他不曾嘗試你底嘗試。

　　　一九二一，一，三一，在上海。

醉與愛（附）　　　胡適

　　沈玄廬先生說我底詩『醉過

方知酒濃，愛過方知情重』的

『過』字，依他底經驗，應該是

『裏』字纔合。

我戲作此詩答他。

　　　　十，一，二七，

舊　夢

你醉裏何嘗『知』酒力？

你只和衣倒下就睡了。

你醒來自己笑道，

『昨晚當真喝醉了！』

愛裏也只是愛，——

和酒醉很相像的。

直到你後來追想，

『哦！愛情原來是這麼樣的！』

送　竈

千千萬萬的爆仗聲裏，

送千千萬萬的竈神上路。

年頭到年尾，

虧他管了一年廚。

送他上路，

請他吃頓好菜蔬。

舊　夢

　　米是農夫種,廚子淘的;

　　柴是樵夫斫,廚子燒的;

　　一切葷,腥,蔬,菜,是勞工供給,廚子

烹調的。

　　偏是他這一事不幹的,

　　吃這些好菜道。

　　竈神說:

　　『我何嘗吃哪!

　　不過這麼擺一擺。

　　受用的還是主人家,

　　我却沒來由地挨罵。

　　「不勞動的不得吃」,

　　你也別空談這話!』

　　　　一九二一,一,三一,在上海。

206